首都圏版㉙ 類似問題で効率のよい志望校対策を！

筑波大学附属小学校

ステップアップ問題集

2022
年度版

志望校の出題傾向・意図を
おさえた豊富な類似問題で
合格後の学習にも役立つ力が
身に付く!!

●すぐに使える プリント式！ ●全問 アドバイス付！

必ずおさえたい問題集

筑波大学附属小学校

お話の記憶	お話の記憶問題集　－上級編－
数量	Ｊｒ・ウォッチャー 41「数の構成」
図形	Ｊｒ・ウォッチャー 54「図形の構成」
図形	Ｊｒ・ウォッチャー 47「座標の移動」
制作	実践 ゆびさきトレーニング①②③

全30問
収録！

日本学習図書 ニチガク

ニチガク式学習支援!!

日本学習図書（ニチガク）

ニチガクの家庭学習支援

Web学習サポートサービス

こんなこと…ありませんか？

「ニチガクの問題集…買ったはいいけど、、、
この問題の教え方がわからない（汗）」

メールでお悩み解決します！

- ☆ ホームページ内の専用フォームで必要事項を入力！
- ☆ 教え方に困っているニチガクの問題を教えてください！
- ☆ 確認終了後、具体的な指導方法をメールでご返信！
- ☆ 全国どこでも！ スマホでも！ ぜひご活用ください！

<質問回答例>

学習のポイント

推理分野の学習では、後の学習に活きる思考力を養うことができます。ご家庭で指導する場合にも、テクニックにたよらず、保護者の方が先に基本的な考え方を理解した上で、お子さまによく考えさせることを大切にして指導してください。

Q.「お子さまによく考えさせることを大切にして指導してください」と学習のポイントにありますが、考える習慣をつけさせるためには、具体的にどのようにしたらいいですか？

A.お子さまが考える時間を持てるように、質問の仕方と、タイミングに工夫をしてみてください。
たとえば、「答えはあっているけど、どうやってその答えを見つけたの」「答えは○○なんだけど、どうしてだと思う？」という感じです。はじめのうちは、「必ず30秒考えてから手を動かす」などのルールを決める方法もおすすめです。

まずは、ホームページへアクセスしてください!!

http://www.nichigaku.jp　日本学習図書　検索

目指せ！合格！

家庭学習ガイド
筑波大学附属小学校

ペーパー　制作　口頭試問　運動

入試情報

応募者数：男子 2,177名／女子 1,928名
出題形態：ペーパー、ノンペーパー
面　　接：なし（保護者作文あり）
出題領域：ペーパー（お話の記憶、図形、数量）、制作、運動、口頭試問

入試対策

2021年度の考査（第二次）は日程が変更され11月15日～17日の間に行われました。試験時間は全体で60分程度でした。当校の入学考査の特徴の1つは、ペーパーテストが標準よりも難しいことです。「お話の記憶」は少し短くなったとは言え、標準よりは長文でストーリーが複雑、なおかつ標準よりも問題の読み上げスピードも速いなど、小学校入試としてはかなりの難しいレベルのものです。また、制作の問題は指示を覚え、素早く的確に作業する必要のある出題となっており、考査の内容も超難関校に相応しいものと言えるでしょう。過去の出題を把握し、例年、必ず出される課題はできるようにしておきましょう。なお、2016年度より、保護者の方に作文が課されています。
なお、次ページに本年度の入試の変更点をまとめていますのでご覧ください。

- ●制作の問題では、はじめに出される指示を聞き逃さないこと、テキパキと作業を進めることが大切です。
- ●第一次選考（抽選）の倍率は2倍強。通過すると第二次選考（ペーパーテストなど）に進みます。
- ●生年月日別のA、B、Cのグループごとに別日程で試験が行われます。出題はグループごとに異なります。

出題分野一覧表

	ペーパーテスト	その他
2021年度	記憶：お話の記憶 図形：図形の構成、展開、回転図形、重ね図形 数量：数の構成、比較	運動：クマ歩き 制作、口頭試問
2020年度	記憶：お話の記憶 図形：図形の構成、対称図形、重ね図形、回転図形 推理：系列	運動：クマ歩き 制作、行動観察、口頭試問
2019年度	記憶：お話の記憶 図形：図形の構成、対称図形、重ね図形 推理：系列	運動：クマ歩き 制作、行動観察、口頭試問

2021年度入試 ここが変わった筑波小の入試

①日程変更

第二次選考（テスト）の日程が 2020 年 11 月 15 日～ 17 日に。これに伴って以下のように日程が変更。
第一次選考出願　2020 年 9 月 17 日～ 20 日（Web）
第一次選考（抽選）　2020 年 10 月 3 日
第二次選考出願　10 月 14 日～ 16 日（郵送）
第二次選考（テスト）　11 月 15 日～ 17 日
第三次選考（抽選）　11 月 19 日
合格発表　11 月 20 日　　　　　※抜粋。2022 年の日程は他ページ参照。
・私立小学校の入試日程と一部重なるケースがあった。

②出願方法変更

第一次選考（抽選）の出願方法が「持参」→「Web」に変更。
第二次選考（テスト）の出願方法が「持参」→「郵送」に変更。
・抽選の様子は一部の保護者のみに公開。一度も登校することなく、出願が可能。

③試験内容に新傾向

・コロナ対策として「行動観察」が行われなかった。
・ペーパーテストでは新たに数量分野の問題が出題された。
・ペーパーテストは従来のものよりは答えやすくなった。

〈2021年度（2020年秋実施）入試の出題分野一覧表〉

	Aグループ	Bグループ	Cグループ
ペーパーテスト	〈男子〉 お話の記憶、図形、数量 〈女子〉 お話の記憶、図形、数量	〈男子〉 お話の記憶、図形、数量 〈女子〉 お話の記憶、図形、数量	〈男子〉 お話の記憶、図形 〈女子〉 お話の記憶、図形、数量
制作	〈男子〉 おばけの絵 〈女子〉 アサガオボード	〈男子〉 カエルボード 〈女子〉 テントウムシと木の筒	〈男子〉 イチョウボード 〈女子〉 川と橋と魚のボード
運　動	〈男女〉 クマ歩き	〈男女〉 クマ歩き	〈男女〉 クマ歩き
その他	〈男女〉 口頭試問	〈男女〉 口頭試問	〈男女〉 口頭試問

「筑波大学附属小学校」について

＜合格のためのアドバイス＞

当校は日本最古の国立小学校であり、伝統ある教育研究機関の附属校として、意欲的かつ充実した教育を行っています。本年度の入試はコロナ禍で行われた試験とあって、日程が変更されたり、１グループの人数を減らす、マスクをつけての運動、密を避けるために行動観察をしないなど様々な変化がありました。

第一次選考の抽選の後、第二次選考で**口頭試問**、**ペーパーテスト**、**制作テスト**、**運動テスト**、を行い、男女各100名に絞られます。さらに第三次選考の抽選で入学予定者男女各64名が決定します。

第二次選考の試験は、男女を生年月日別の３つのグループ（Ａ・Ｂ・Ｃ）に分けて実施されます。問題の内容はグループによって異なりますが、出題傾向に大きな差はなく、全グループ共通の観点で試験が行われていると考えられます。

口頭試問は、制作（お絵かき・グループへの出題とは別の課題）中に２～３人が呼び出され、１人に対して１～２つの質問をする形で行われました。質問の内容は「学校までの交通手段」「好きな食べもの」「『たちつてと』を言う」などさまざまで、答えの内容よりも答える際の態度、言葉遣いなどを観ていると思われます。

ペーパーテストは、**お話の記憶**と**図形**のほか、新たに**数量**が出題されました。

お話の記憶は、お話が長く複雑であることと、服装、色、季節など、細かい描写を問う設問があることが特徴です。お話を聞き記憶する力は、読み聞かせを繰り返すことで培われます。積み重ねを大切にしてください。

図形は、図形の構成を中心に回転図形、展開、回転図形なども出題されています。幅広く問題に取り組んで学力を付けることと同時に、たくさんの問題を見ても焦らないよう、制限時間内に多くの問題を解く能力も身に付けておきましょう。

制作テストでも、グループごとに違う課題が出されましたが、紙をちぎる、ひもを結ぶ、のりやテープなどで貼り合わせるといった基本的な作業は共通しています。ペーパーテストと同様、時間が短く、完成できない受験者も多かったそうです。ふだんから積極的に工作や手先を動かす作業を行い、器用さ、手早さを養いましょう。また、指示がしっかり聞けているか、取り組む姿勢はどうか、後片付けはできているかなども重要なポイントになりますので、練習の際には注意してください。

運動テストは、数年連続してクマ歩きが出題されています。今年は出題がなかった**行動観察**では、基本的なゲームや遊びが出題されています。協調性を観点にしたものですが、特別な対策が必要なものではありません。

当校の試験は、本年度はやや簡単になったとは言え、標準から見ればまだまだ難度が高い入試です。過去に出題された問題がまた出題されることも少なくないので、過去の問題を熟読し、幅広い分野の学習を進めてください。また、「問題を確実にこなす」「うっかりミスをなくす」ことを心がけ、数多くの問題に慣れておくことを強くおすすめします。

〈2021年度選考〉

◆「入試対策」の頁参照

◇過去の応募状況

2021年度	男子2,177名	女子1,928名
2020年度	男子2,087名	女子1,813名
2019年度	男子2,032名	女子1,762名

〈出題傾向について〉

ＡＢＣグループの出題傾向は基本的に同じ！

　当校の試験では、生まれ月によって、ＡＢＣの３つのグループにわけて行われます。それぞれのグループによって、試験日が異なっており、試験問題もグループごとに用意されています。しかし、学校として求める子どもがグループによって変わるということはありませんので、**どのグループも同じ観点の問題**が出題されているのです。
　過去の問題を分析した結果、**出題傾向**は、

Ａグループ＝Ｂグループ＝Ｃグループ

　ということになります。
　つまり、**グループを意識せず過去の傾向を総合的に学習することが、合格への近道**となるのです。
　ここ数年だけ見ても、すべてのグループでほぼ同じ分野の問題が出題されており、グループの違いによる有利不利はありません。

〈2021年度（2020年秋実施）入試の出題分野一覧表〉

	Ａグループ	Ｂグループ	Ｃグループ
お話の記憶	〈男子〉 動物のキャンプ 〈女子〉 動物の大掃除	〈男子〉 ケンタくんのクリスマス 〈女子〉 動物のサイクリング	〈男子〉 イヌくんの夏休み 〈女子〉 動物の雪まつり
図形 数量	〈男子〉 図形の構成、数の構成 〈女子〉 図形の構成、数の構成	〈男子〉 展開・回転、比較 〈女子〉 展開・重ね図形、比較	〈男子〉 回転、図形の構成 〈女子〉 展開・回転、比較
制作	〈男子〉 おばけボード 〈女子〉 アサガオボード	〈男子〉 カエルボード 〈女子〉 テントウムシと木の枝	〈男子〉 イチョウボード 〈女子〉 川と橋と魚のボード
運動	〈男女〉 クマ歩き	〈男女〉 クマ歩き	〈男女〉 クマ歩き
その他	〈男女〉 口頭試問	〈男女〉 口頭試問	〈男女〉 口頭試問

〈過去の入試データ〉

2021年度募集日程（参考）

2020年実施済みの日程です。
2022年度募集日程とは異なりますのでご注意ください。

【説明会】　なし

【児童募集要項WEB購入】　2020年９月８日～20日

【WEB出願期間】　2020年９月17日～20日（Web）

【選考日時】　第１次選考：2020年10月３日（抽選）
第２次選考：2020年11月15日～17日（検査）
第３次選考：2020年11月19日（抽選）

【検定料】　第１次選考：1,100円
第２次選考：2,200円

【選考内容】　前頁参照

2021年度募集の応募者数等（参考）

【募集人員】	男子・・・・・64名	女子・・・・・64名
【応募者数】	男子・・2,177名	女子・・1,982名
【合格者数】	男子・・・・・64名	女子・・・・・64名

2022年度募集日程予定

【説明会】　なし

【児童募集要項WEB購入】　2021年10月12日～24日

【WEB出願期間】　2021年10月21日～24日

【選考日時】　第１次選考：2021年11月13日（抽選）
第２次選考：2021年12月16日～18日（検査）
第３次選考：2021年12月20日（抽選）

※上記の日程は予定です。変更される可能性があります。
詳細は必ず学校のホームページなどで確認してください。

(得) 先輩ママたちの声！

◆実際に受験をされた方からのアドバイスです。
ぜひ参考にしてください。

筑波大学附属小学校

・図形の問題もお話の記憶の問題も問題数が多くて、時間が足りなくなりました。なるべく早くから問題集に取り組んで対策を取っておくべきです。

・上履きやスリッパは貸してもらえないので、絶対に忘れないように注意してください。

・子どもの試験の待機中に、保護者にも作文が課されました。指定されたテーマについて、25分程度でＡ４用紙１枚（約400字）に書くというものでした。

・試験当日はとても寒く、作文を書く手がかじかむほどでした。しっかりと防寒対策をとることをおすすめします。

・子どもたちのテスト中に作文を書きましたが、10数行を25分ほどで書くので時間がギリギリでした。書くことをしっかりと準備しておく必要があります。

・ペーパーテストは、制限時間がとても短く、全部やりとげるのは難しかったそうです。練習してスピードをつけること、焦らないこと、気持ちの切り替えができることが重要だと思いました。

・運動テストでクマ歩きをするので、女子のスカートは避けた方がよさそうです。また、体育館の床が滑りやすく、転んでしまう子もいたそうですが、なるべく素早くできるように練習しておくとよいと思います。

・制作テストは内容の割に、とにかく時間が短いです。ひも結びや紙ちぎりなどを重点的に、遊びの中に取り入れて練習しておくと、当日焦らずできると思います。

・本校の子どもたちは一年中半そで・半ズボンだそうで、当日も寒い中、半そで・半ズボンのお子さまが多かったです。寒さに強い子にしておいた方が良いですね。

筑波大学附属小学校
ステップアップ問題集

〈はじめに〉

現在、少子化が叫ばれているにもかかわらず、私立・国立小学校の入学試験には一定の応募者があります。入試は、ただやみくもに学習するだけでは成果を得ることはできません。志望校の過去における出題傾向を研究・把握した上で、練習を進めていくこと、試験までに志願者の不得意分野を克服していくことが必須条件です。そこで、本問題集は小学校を受験される方々に、志望校の出題傾向をより詳しく知って頂くために、出題頻度の高い問題を結集いたしました。最新のデータを含む精選された過去問題集で実力をお付けください。

また、志望校の選択には弊社発行の「2022年度版　首都圏・東日本　国立・私立小学校　進学のてびき」「2022年度版 首都圏　国立小学校入試ハンドブック」をぜひ参考になさってください。

〈本書ご使用方法〉

◆出題者は出題前に一度問題を通読し、出題内容などを把握した上で、〈 準　備 〉の欄に表記してあるものを用意してから始めてください。

◆お子さまに絵の頁を渡し、出題者が問題文を読む形式で出題してください。問題を読んだ後で、絵の頁を渡す問題もありますのでご注意ください。

◆「分野」は、問題の分野を表しています。弊社の問題集の分野に対応していますので、復習の際の目安にお役立てください。

◆一部の描画や工作、常識等の問題については、解答が省略されているものがあります。お子さまの答えが成り立つか、出題者が各自でご判断ください。

◆〈 時　間 〉につきましては、目安とお考えください。

◆学習のポイントは、指導の際にご参考にしてください。

◆【おすすめ問題集】は各問題の基礎力養成や実力アップにご使用ください。

〈本書ご使用にあたっての注意点〉

◆文中に **この問題の絵は縦に使用してください。** と記載してある問題の絵は縦にしてお使いください。

◆〈 準　備 〉の欄で、クレヨンと表記してある場合は12色程度のものを、画用紙と表記してある場合は白い画用紙をご用意ください。

◆文中に **この問題の絵はありません。** と記載してある問題には絵の頁がありませんので、ご注意ください。なお、問題の絵の右上にある番号が連番でなくても、中央下の頁番号が連番の場合は落丁ではありません。

下記一覧表の●が付いている問題は絵がありません。

問題1	問題2	問題3	問題4	問題5	問題6	問題7	問題8	問題9	問題10
問題11	問題12	問題13	問題14	問題15	問題16	問題17	問題18	問題19	問題20
問題21	問題22	問題23	問題25	問題25	問題26	問題27	問題28	問題29	問題30
								●	

◎学習効果を上げるため、前掲の「家庭学習ガイド」及び「合格のためのアドバイス」をお読みになり、各校が実施する入試の出題傾向を、よく把握した上で問題に取り組んでください。

※冒頭の「本書ご使用方法」「ご使用にあたっての注意点」も併せてご覧ください。

問題1　分野：記憶

〈準　備〉　エンピツ

〈問　題〉　**この問題の絵は縦に使用してください。**
これからするお話をよく聞いて、後の質問に答えてください。
（問題の絵はお話を読み終わってから渡す）

キツネくんが「釣りに行こう」とウサギさんを誘いに行きました。ウサギさんのお家の庭にはサクラの木がありきれいな花を咲かせていました。その下には鉢植えのチューリップがたくさん咲いていました。チャイムを鳴らすと、ウサギさんがバスケットと釣り用のバケツと網を持って、「お待たせ～」と言いながら出てきました。バスケットの中には、みんなのおやつのクッキーが入っています。キツネくんとウサギさんは楽しくお喋りをしながらウシくんのお家に行きました。ウシくんのお家の屋根のてっぺんにはニワトリの飾り（風見鶏）がついていて、風が吹くとくるくると回ってとても可愛いので、ウサギさんは大好きでした。キツネくんがウシくんのお家のチャイムを鳴らしましたが、し～んとしていて誰の声もしません。「ウシくん、留守みたいだね」と２匹が行こうとすると「待って、今行くよ！」と奥の方から声が聞こえました。ウシくんはウサギさんに貸す釣り竿を探していたようです。次にリスさんの家の近くまで行くと、途中のお花屋さんの前でリスさんが待っていました。リスさんはカゴと釣り竿を持っていました。カゴの中にはサンドイッチとイチゴとサクランボが入っています。リスさんのお母さんがみんなのお弁当を作ってくれたのです。みんなが揃ったところで小川に出発です。みんなが小川に着くと、サルくんとネコさんがいて「みんな遅いよ～、あんまり遅いから先に始めちゃったよ！」と言いながら釣りをしていました。みんなもさっそく釣りの準備をして、釣りを始めました。最初にウシくんがメダカとザリガニを続けて釣ったので、バケツに入れておきました。ところが、メダカとザリガニを同じバケツに入れておいたら、ザリガニがメダカを食べようとしています。それを見たウシくんは慌てて２つのバケツに分けて入れました。サルくんが１度に２匹もザリガニを釣り上げた時にはみんな大騒ぎでした。その後も、リスさんの持ってきたお弁当を食べたり、ウサギさんが持ってきたクッキーを食べたり、とても楽しい１日です。「そろそろ家に帰らなとお母さんが心配するわ」リスさんの声でみんなも帰り支度を始めました。キツネくんはメダカを２匹とザリガニを３匹、ウサギさんはザリガニを２匹、ウシくんはメダカが５匹とザリガニも５匹、リスさんはメダカが２匹、サルくんとネコさんは一緒のバケツに入れていたので、ザリガニが６匹とメダカが４匹とオタマジャクシが３匹捕れました。「ずいぶんたくさん捕れたね。捕れたのを全部持って帰るのは大変だね」とウシくんが言いました。だってみんなの分を全部合わせると、ザリガニが16匹、メダカが13匹、それとオタマジャクシが３匹です。「私はいらないわ」とリスさんとネコさんが言いました。ウサギさんも「私も」と言いました。ウシくんも「今カマキリのたまごを飼っているからお母さんにダメって言われるかもしれないな」と困ってしまいました。するとサルくんが「それなら、せっかく釣ったけど全部川に戻してあげようよ」と言いました。みんなもサルくんの意見に賛成して川に逃がしてあげることにしました。メダカもザリガニもオタマジャクシもみんなうれしそうに泳いでいきました。家への帰り道、バケツの中は空っぽでしたが、みんなとても楽しい気持ちでした。

（問題１の絵を渡して）
①ウサギさんのお家に咲いていた花に○をつけてください。
②ウシくんの家の屋根に付いている飾りに○をつけてください。
③キツネくんがウシくんの次に会った動物に○をつけてください。
④リスさんのカゴの中に、サクランボのほかに入っていた物に○をつけてください。
⑤みんなが釣った物に○をつけてください。

〈時 間〉　各10秒

〈解 答〉　①左端、右端（サクラ、チューリップ）　②右から２つ目（風見鶏）
③左から２つ目（リスさん）　④右から２つ目、右端（サンドイッチ、イチゴ）
⑤左から２つ目、真ん中、右端（ザリガニ、メダカ、オタマジャクシ）

学習のポイント

お話を聞く時のポイントは、漫然と聞くのではなく、お話の情景を頭に描きながら聞くことです。問題の内容は「誰が」「いつ」「どこで」「何を」「どうした」「周囲の情景は」という事柄がほとんどですから、ふだんの生活の中で物語を読み聞かせ、読み終わった後で簡単な質問をして、それに答える練習をしておくと入試でも対応しやすくなるはずです。本問では、お話の後半に「ザリガニが16匹、メダカが13匹それとオタマジャクシが３匹」など、複雑な数字がたくさん出てきます。直接問題となってはいませんがこうしたものが出てくると混乱してしまうお子さまも多いでしょう。数を覚えるのではなく、「16匹のザリガニ」をイメージすることで多少は記憶しやすくなるはずです。

【おすすめ問題集】

★筑波大附属小学校　新お話の記憶攻略問題集★（書店では販売しておりません）
１話５分の読み聞かせお話集①②、お話の記憶 初級編・中級編・上級編、
Ｊｒ・ウォッチャー19「お話の記憶」、34「季節」

家庭学習のコツ①　「先輩ママのアドバイス」を読みましょう！

本書冒頭の「先輩ママのアドバイス」には、実際に試験を経験された方の貴重なお話が掲載されています。対策学習への取り組み方だけでなく、試験場の雰囲気や会場での過ごし方、お子さまの健康管理、家庭学習の方法など、さまざまなことがらについてのアドバイスもあります。先輩ママの体験談、アドバイスに学び、ステップアップを図りましょう！

問題2　分野：記憶

〈準備〉　エンピツ、クーピーペン（ピンク・青）

〈問題〉　**この問題の絵は縦に使用してください。**
これからするお話をよく聞いて、後の質問に答えてください。
（問題の絵はお話を読み終わってから渡す）

ネコのミーちゃんはお手伝いが大好きです。今日もお母さんにお使いを頼まれました。お母さんから「ここに書いてある物を買ってきてね」と言われてメモをもらいました。メモには八百屋さんでダイコンを１本とサツマイモを２本、魚屋さんでサンマを４匹、お花屋さんでピンクのコスモスを６本と書いてありました。コスモスはお母さんの大好きな花です。ミーちゃんはメモをなくさないように、左手にしっかりと握りしめて家を出ました。八百屋さんに行く途中に公園があります。ミーちゃんが公園の横を通った時、急にビュ～ッと強い風が吹いて、手に持っていたメモが飛ばされてしまいました。ミーちゃんは慌ててメモを追いかけましたが、どこかに飛んでいってしまいました。「あ～どうしよう！　何を買ったらいいのかわからなくなっちゃった！」困ってしまったミーちゃんは、メモに書いてあった物を思い出しながら買い物をすることにしました。まずは八百屋さんに行きました。八百屋のクマさんが「おや？　ミーちゃん、今日もお母さんのお手伝いのお買い物かい？　いつもえらいね～！　今日は何を買うのかな？」と聞いてくれました。ミーちゃんは「こんにちは～！」と元気にあいさつをしてダイコン１本とジャガイモを２個買いました。次は魚屋さんです。魚屋のイヌさんは「さあさあ、いらっしゃい！　いらっしゃい！　今日のタコは特別に元気がよくておいしいよ～！　おや？　ミーちゃん、今日は何にしますか？」と声をかけてくれました。「え～と、あの～、タコをください！」慌てたミーちゃんは魚屋でタコを４匹買いました。「あとはお花屋さんだったな」お花屋さんのウサギさんは「こんにちは。今日はどんなお花にしますか？」とやさしく声をかけてくれました。ミーちゃんは「こんにちは！　コスモスを６本ください」「色はピンクと白のどっちの色がいいですか？」「え～と、ピンクをください」ミーちゃんはとても元気な声であいさつができて、お買い物もとても上手にできました。買い物が終わって家に帰ってきたミーちゃんは、心配そうに買ってきた物をお母さんに渡しました。間違えて買ってしまった物もありましたが、お母さんはニコニコ笑顔で「おかえり、よく１人でがんばったわね」と褒めてくれました。ミーちゃんはうれしくて「また、お使いに行きたいな！」と思いました。

（問題２の絵を渡して）
①お話の季節と合う絵に鉛筆で○をつけてください。
②ミーちゃんはお母さんから渡されたメモをどちらの手に持っていましたか。右手だと思う人は向かって右の三角に、左手だと思う人は向かって左の三角に青のクーピーペンで色を塗ってください。
③ミーちゃんが間違えて買った物に鉛筆で○をつけてください。
④ミーちゃんはコスモスを何本買いましたか。買った数だけ○にピンクの色を塗ってください。
⑤ミーちゃんがお使いから帰った時、お母さんはどんな顔をしていましたか。正しい顔に鉛筆で○をつけてください。

〈時間〉　各10秒

〈解答〉　①右端（お月見）　②左を塗る
③左から２つ目、右端（タコ、ジャガイモ）　④○：６　⑤右端（笑顔）

学習のポイント

当校のお話の記憶の問題は、毎年長いお話からの出題です。日頃から問題に取り組んでいるお子さまはともかく、練習をしていないお子さまには難しいでしょう。短期間でこうした問題に対応するには、短いお話の登場人物や物語の情景を記憶する練習をするのが効果的です。ものの「数」「色」などを場面ごとに記憶するコツがわかります。それができるようになってからこういった問題に取り組めば、混乱することなく解答できるでしょう。本問では主人公ミーちゃんがお母さんからお願いされた、お使いで買ってきてほしいものをイメージしておかないと③のような問題を解くことはできないできません。これも数を丸暗記しようとするのではなく、場面ごとにイメージするようにしましょう。

【おすすめ問題集】

★筑波大附属小学校　新お話の記憶攻略問題集★（書店では販売しておりません）
1話5分の読み聞かせお話集①②、お話の記憶 初級編・中級編・上級編、
Ｊｒ・ウォッチャー19「お話の記憶」、34「季節」

問題3　分野：記憶

〈準 備〉　エンピツ

〈問 題〉　**この問題の絵は縦に使用してください。**
これからするお話をよく聞いて、後の質問に答えてください。
（問題の絵はお話を読み終わってから渡す）

今日は日曜日です。コアラくんは、ネコさんとリスさんとイヌくんとパンダくんを誘って、隣町に新しくできた水族館へ行く約束をしていました。コアラくんは楽しみで朝からソワソワしていて、いつもは「早く支度をしないと遅れますよ」とお母さんに注意されるのに、もう出かける支度が終わっています。「ね～、お弁当はまだかな～！」「あらあら、今日はずいぶん早いのね」お母さんは笑いながら、おにぎりと玉子焼きとウインナーのお弁当とデザートのリンゴをリュックサックに入れてくれました。リュックサックをしょって水筒を持って、帽子をかぶって「行ってきま～す」。コアラくんは元気に出発です。みんなとは隣町行きのバス停で待ち合わせをしています。コアラくんが待ち合わせの場所に着くと、ネコさんとリスさんとイヌくんが待っていました。ちょっと遅れて、パンダくんが「待たせてごめんね」と言いながら走ってきました。パンダくんが来てすぐにバスが来ました。隣町行きのバスは途中で水族館の前を通ります。バスを降りたみんなは水族館の入り口で切符を買うと、早速イルカのショーを見ることにしました。イルカはトレーナーのライオンさんが持っている輪っかの中をジャンプして上手にくぐり抜けます。今度はボールを自分の鼻でツンツンと突きながら、たか～く投げあげたり、そのボールをまた鼻で受け止めたりしています。みんなビックリして声も出さずに見ていました。そしてイルカは、上手にできたご褒美にライオンさんに魚をもらいました。その後、水族館の中の魚を順番に見て歩くことにしました。ペンギンの前に来た時、リスさんとネコさんが「わ～、かわいい！」と言いながら柵のそばに走り寄りました。追い駆けっこをしているペンギンや、お母さんの後ろをヨチヨチと付いて歩く赤ちゃんペンギンを見てリスさんもネコさんも大喜びです。「もっと見ていたい」と言う２匹に「また帰りにペンギンの前を通るから」と約束をして次に進みました。少し歩くとトンネルのような道があって、そこに入ると右も左も天井も、いろいろな魚が泳いでいて、まるで海の中に居るみたいでした。たくさんの仲間と１つになって泳ぐイワシの大群、岩にしがみついているようなイソギンチャク、まるで大きな風呂敷を広げたようなエイ、今にも襲いかかってきそうなサメ、小さなお口のマンボウなどいくら見ていても飽きないくらいです。トンネルを抜けたところに広場があって、テーブルやイスが置いてありました。あまり夢中になって見ていたので、みんな

お腹がすいてしまいました。「ここでお弁当を食べようよ」とパンダくんの言葉にみんな賛成をして、それぞれ自分のお弁当を食べました。みんなお腹がすいていたので、あっと言う間に全部食べ終わってしまいました。お腹が一杯になったところでネコさんが「妹におみやげを買いたいわ」と言ったので、みんなでおみやげやさんに行ってみました。おみやげやさんには素敵な物がたくさんあって、あれもこれも買いたくなって迷ってしまいます。でもネコさんは妹にペンギンのブローチを、イヌくんとリスさんはお母さんにイルカの刺繍の付いたハンカチを、コアラくんもお母さんに海の絵が描いてあるペン立てを、パンダくんはうんと迷って、ねじを巻いて水に浮かべると泳ぐペンギンのおもちゃを弟に買いました。帰りのバスで「楽しかったね。またみんなで行こうね」とコアラくんが言うと「今度はキツネさんとウシさんとサルくんも一緒に来られるといいわね」とリスさんが言いました。キツネさんは風邪を引いたので来られなかったのです。ウシさんはおばあちゃんのところに行くので来られませんでした。サルくんはお父さんと飛行機を見に行く約束があったので来られませんでした。「そうだね！今度はみんなで揃って来ようね」コアラくんもイヌくんもパンダくんもリスさんもネコさんも心の中でそう思いました。

①コアラくんたちが行ったところに○をつけてください。
②待ち合わせの場所に１番最後に来た動物に○をつけてください。
③みんなが１番最初に見た生き物に○をつけてください。
④ネコさんとリスさんが「もっと見ていたい」と言ったものに○をつけてください。
⑤ネコさんが妹に買ったおみやげに○をつけてください。

〈時 間〉 各10秒

〈解 答〉 ①右から２つ目（水族館） ②右端（パンダくん）
③右から２つ目（イルカ） ④右から２つ目（ペンギン）
⑤左から２つ目（ペンギンのブローチ）

学習のポイント

記憶法をあれこれ試すより、日頃からいろいろなお話を読み聞かせておくことが１番の対策となります。丸暗記しようとするのは無理ですから、場面ごとにイメージしながら記憶してください。ただ聞き流しているとお話の流れがあやふやになりがちなので、場面ごとに「～が～と言った」「～色の～が～個ある」などとイメージしながら聞ききましょう。小学校受験のお話の記憶で使われるお話にはあまり場面転換がないのですが、当校の問題にはあります。丸暗記ではなく何枚かの絵をイメージする、そういった考え方でお話を聞きましょう。その方が細かな質問には対応できるはずです。

【おすすめ問題集】

★筑波大附属小学校　新お話の記憶攻略問題集★（書店では販売しておりません）
１話５分の読み聞かせお話集①②、お話の記憶 初級編・中級編・上級編、
Ｊｒ・ウォッチャー19「お話の記憶」、34「季節」

問題4　分野：記憶

〈準備〉　エンピツ、クーピーペン（青）

〈問題〉　**この問題は絵を参考にしてください。**

これからするお話をよく聞いて、後の質問に答えてください。
（問題の絵はお話を読み終わってから渡す）

僕はおばあちゃんのお家に１人でバスに乗って遊びに行きました。おばあちゃんの家は海のすぐそばにあります。毎年、夏休みになると泊まりがけで遊びに行くのがとても楽しみです。それにおばあちゃんの家にはいとこのわたるくんがいます。わたるくんは小学３年生で僕より３歳年上です。僕とわたるくんはとても仲良しで、僕はわたるくんが大好きなので泊まりがけで遊べると思うとうれしくてワクワクします。バスの座席に座ってわたるくんとどんなことをして遊ぼうかと考えていると、荷物をいっぱい持ったおじいさんが乗ってきました。そのおじいさんは大きなカバンと傘を持っていました。僕はすぐに席を立って、そのおじいさんに席を譲ってあげました。おじいさんは何度も何度も「ありがとう！　とても助かったよ」とお礼を言ってくれました。その時おじいさんの隣に座っていたおばさんが「えらいわね」と言って僕の頭を撫でてくれました。僕がバスを降りる時、そのおじいさんとおばさんが手を振って「ありがとう、気を付けてね」と言ってくれました。バスから降りるとわたるくんとおばあちゃんが迎えに来ていました。家ではわたるくんのお母さんがお昼ご飯を用意して待っていました。お昼ご飯の後、ちょっとだけお昼寝をして海に泳ぎに行きました。次の日は日曜日だったので、わたるくんのお父さんと、お母さんと、わたるくんのお姉ちゃんとみんなで朝早くから海に行きました。海に着くと、沖では漁師さんたちが網を海に向かって投げていました。わたるくんのお父さんが「あれは地引き網って言うんだよ。海に投げた網を砂浜で引っ張って魚を捕るんだ」と教えてくれました。漁師さんたちが戻って来ると、僕たちも砂浜でその網を一緒に引っ張りました。網が海から砂浜に引き寄せられると、中にいろんな魚がピチピチ跳ねているのが見えました。僕たちは準備体操をしてから海にはいると、ボールを投げてそこまで泳いでいったり、お姉ちゃんの投げた浮き輪まで競争したり、お父さんの膨らましてくれたゴムボートに乗ったり夢中になって遊んでいました。僕たちが遊んでいる間に、地引き網で捕れたお魚を漁師さんから分けて貰ったわたるくんのお母さんは、すぐに家に持って帰ると、お魚を焼いておにぎりや玉子焼きと一緒にカゴに入れて海で泳いでいる僕たちのところに持ってきてくれました。「みんな～、朝ご飯ですよ～、早く来ないとみんな食べちゃうわよ！」お母さんの声で僕たちは急いで海から出るとタオルを体に巻いてシートの上に座りました。海で泳いだ後の朝ごはんは特別に美味しいものでした。その後、みんなでスイカ割りをしたり貝を拾ったりしました。その貝はとてもきれいだったので、お母さんへのおみやげにしました。

①バスに乗ってきたおじいさんの持っていたものに鉛筆で○をつけてください。
②わたるくんは僕より何歳年上でしたか。その数だけ○に青のクーピーペンで色を塗ってください。
③わたるくんのお父さんと、お母さんと、わたるくんのお姉ちゃんとみんなで海に行った時、１番最初に何を見ましたか。合っている絵に鉛筆で○をつけてください。
④僕がお母さんのおみやげにした物に鉛筆で○をつけてください。
⑤この季節と同じ時期に咲く花に鉛筆で○をつけてください。

〈時間〉　各10秒

〈解答〉　①左から２つ目、右端（カバン、傘）　②○：３　③右端（網を投げる）
④右端（貝）　⑤左端、右から２つ目（アサガオ、ヒマワリ）

学習のポイント

入試のためだけではなく、お話をしっかり聞いて、その内容を把握することは、これからの学校生活にも必要です。学校生活では先生・友だちからお話を聞く、家に帰って保護者の方に話をする機会も多くなるのです。当校ではこの問題のようにふだんのくらしでもありそうなことをお話にして、そこから出題することがあります。内容を記憶する方法は場面をイメージすることなので、ほかの問題と同じですが、経験していることが多いので少し記憶しやすいかもしれません。また、本問では季節を問う問題が出題されています。お話に「夏休み」や「海水浴」といった言葉が登場するので、季節は夏ということはすぐにわかるのですが、季節についてはよく質問されるので意識してお話を聞くようにしましょう。

【おすすめ問題集】

★筑波大附属小学校　新お話の記憶攻略問題集★（書店では販売しておりません）
1話5分の読み聞かせお話集①②、お話の記憶 初級編・中級編・上級編、
Ｊｒ・ウォッチャー19「お話の記憶」、34「季節」

問題5　分野：図形（パズル・図形の構成）

〈準備〉　クーピーペン（黒）

〈問題〉　（問題5－1・5－2の絵を渡して）
左端はパズルが完成した絵です。このパズルは、その隣にある3つのピースからできています。バラバラになっている3つのピースをどのようにはめ込んだら、左端の絵のようになると思いますか。右の3つの絵の中から選んで、黒のクーピーペンで○をつけてください。マス目に書かれている絵やピースの形の向きもよく見て、○をつけましょう。

〈時間〉　2分

〈解答〉　①真ん中　②左端　③右端　④真ん中　⑤左端　⑥右端

学習のポイント

3つに分かれたパズルのピースを枠にはめ込む問題です。まず1番小さなピースから探すとやりやすいでしょう。本問ではその形だけでなくマス目に書かれた記号と、その向きにも注意を払わなければなりません。できるだけわかりやすい形、はめ込みやすい形を探して、1つずつ試してみてください。お子さまが理解できないようであれば、問題の図形を切り抜いて実際にお子さまにさわらせてピースを当てはめさせてみるとよいでしょう。このようなパズル形式のマス目を使った移動の問題など、指示の理解度を問う内容のものがよく出題されますから、練習しておきましょう。

【おすすめ問題集】

★筑波大附属小学校図形攻略問題集①②　★（書店では販売しておりません）
Ｊｒ・ウォッチャー3「パズル」、54「図形の構成」

問題6　分野：図形（複合）

〈準　備〉　クーピーペン（赤）

〈問　題〉　**この問題の絵は縦に使用してください。**

①左のお手本の形と同じ並び方をしている所を右のマス目の中から探して、赤のクーピーペンで囲んでください。１つ下の段も同じように続けて書いてください。

③真ん中の段を見てください。左のマス目の白い○からスタートして、その隣の矢印の通りに左から順番にマス目を進むと、どの印に着くと思いますか。右の絵から探してその印に赤のクーピーペンで○をつけてください。下の２つの段も同じように続けて○をつけてください。

〈時　間〉　各20秒

〈解　答〉　下図参照

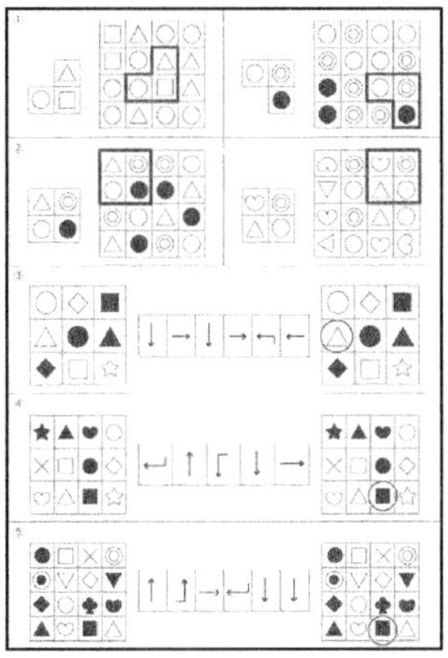

学習のポイント

マス目を使った問題では、はじめのマス目をしっかりと定め、そこから次のマス目が上下左右のどのマス目に行くのかを考えるのが大事です。それを曖昧にして問題を解こうとすると、考えがまとまらず、かえって難しくなってしまいます。始点をしっかりと定めて考えるようにしましょう。この基本を身に付けると、時間がかかるようですが確実に答えることができます。③④⑤については矢印通りに線を引いてみることで明確に答えをだすことができます。ただし、最初から線を引くのではなく、ある程度検討をつけてから引くようにしましょう。間違って引いてしまった際に、非常にまぎらわしくなり、誤答の原因となってしまいます。

【おすすめ問題集】

★筑波大附属小学校図形攻略問題集①②　★（書店では販売しておりません）

Ｊｒ・ウォッチャー４「同図形探し」、47「座標の移動」

家庭学習のコツ②　「家庭学習ガイド」はママの味方！

問題演習を始める前に、試験の概要をまとめた「家庭学習ガイド（本書カラーページに掲載）」を読みましょう。「家庭学習ガイド」には、応募者数や試験課目の詳細のほか、学習を進める上で重要な情報が掲載されています。それらの情報で入試の傾向をつかみ、学習の方針を立ててから、対策学習を始めてください。

問題7　分野：数量（数の合成）

〈準備〉　クーピーペン（赤）

〈問題〉　左側の四角の中に描かれている絵と同じ数にするにはどれとどれを合わせればよいですか。右側から選んで○をつけてください。

〈時間〉　各30秒

〈解答〉　下図参照

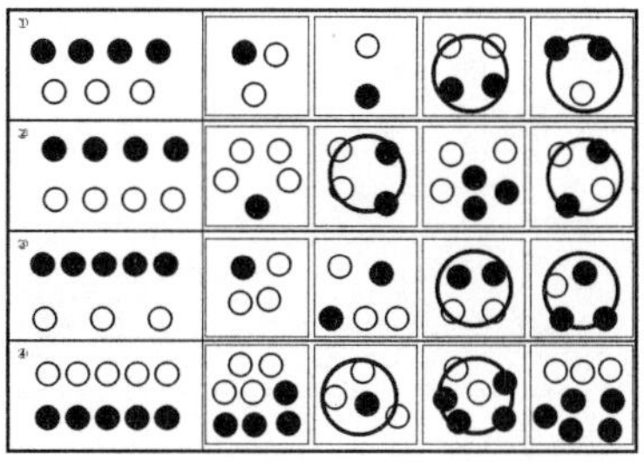

学習のポイント

2021年度の入試で初めて出題された数量分野の問題です。ここでは○と●で出題されているように図形の要素を含んでいることが特徴です。数量の問題としてはそれほど難しくないので確実に正解しておきましょう。「全部でいくつにする」とは考えずに「○を～個にする」「●を～個にする」と考えれば簡単に答えが出るはずでしょう。ここでの観点は「～がいくつある」ということが一目でわかるという感覚のあるなしです。いちいち指折り数えるのではなく、10個までのものならいくつあるかをわかるようにしておきましょう。

【おすすめ問題集】

★筑波大附属小学校数量分野別問題集①

Ｊｒ・ウォッチャー41「数の構成」

家庭学習のコツ③　効果的な学習方法～問題集を通読する

過去問題集を始めるにあたり、いきなり問題に取り組んではいませんか？　それでは本書を有効活用しているとは言えません。まず、保護者の方が、すべてを一通り読み、当校の傾向、ポイント、問題のアドバイスを頭に入れてください。そうすることにより、保護者の方の指導力がアップします。また、日常生活のさまざまなことから、保護者の方自身が「作問」することができるようになっていきます。

問題8　分野：制作

〈準　備〉　直径７cmの☆が書かれた台紙・紙コップ・穴のあいたビーズ２個・細長い紙２枚・綴じひも（緑２本10cm・赤１本30cm）・青の四角シール２枚・白の〇シール５枚・スティックのり・クーピーペン（青）

〈問　題〉　**この問題は絵を参考にしてください。**
これから『星の子』を作ります。はじめに私が作りますからよく見て覚えてください。後で同じ星の子を作ってもらいます。

①はじめに、台紙に書いてある☆を線に沿って手でちぎります。
②ちぎった☆に青のクーピーペンで目と鼻と口を描いて顔にします。
③逆さまにした紙コップの上に青の四角シールを２枚使って顔を付けます。
④細長い紙を折って手を作り、紙コップの側面にのりで貼り付けます。
⑤２つのそれぞれのビーズの中に緑の綴じひもを通し、折り返して白い丸シールで留めて足にします。
⑥作った足を紙コップの内側に白の丸シールで貼ります。
⑦逆さまにした紙コップの周りに赤い綴じひもを巻き、後ろ１ヶ所を白い丸シールで留めて蝶結びにします。

これで星の子ができ上がりました。では作ってみてください。

〈時　間〉　15分

〈解　答〉　省略

学習のポイント

簡単に当校の制作の問題は小学校への入試問題としては毎年高度な課題が与えられる傾向があります。まず説明をしっかりと聞いて、何をするのかを理解することが大切になります。この問題でも、要求通りに紙をちぎる作業やビーズにひもを通す作業はふだんの生活の中ではなかなか経験できないと思います。過去の巧緻性の出題を練習しておくことも必要ですが、経験したことのない課題に対してもあきらめずに取り組む事のできる辛抱強い姿勢を養っておきましょう。なお、当校の工作問題では、はさみは用いません。輪郭線に沿って、手で紙をちぎります。紙をきれいにちぎることは、お子さまにとっては慣れが必要なことです。早い時期から練習しておくことをおすすめします。

【おすすめ問題集】
★筑波大附属小学校工作攻略問題集★（材料付き）
実践 ゆびさきトレーニング①②③
Ｊｒ・ウォッチャー23「切る・貼る・塗る」

家庭学習のコツ④　効果的な学習方法～お子さまの今の実力を知る

１年分の問題を解き終えた後、「家庭学習ガイド」に掲載されているレーダーチャートを参考に、目標への到達度をはかってみましょう。また、あわせてお子さまの得意・不得意の見きわめも行ってください。苦手な分野の対策にあたっては、お子さまに無理をさせず、理解度に合わせて学習するとよいでしょう。

問題9　分野：制作

〈準備〉　ストロー（７㎝位）１本、セロハンテープ、紫色のクーピーペン、竹ひご１本、のり、厚紙（８㎝×20㎝１枚、３㎝×９㎝２枚）ひも（80㎝程）１本、はさみ、スティックのり（またはこれらに代わるもの）
予め、問題９の絵の下を点線に沿って切りとっておく。

〈問題〉　**この問題は絵を参考に縦に使用してください。**
これから「ぶらさがりくん」を作ります。まずはじめに、私（出題者）が作ってみますのでよく見ていてください。
厚紙の裏にストローをテープで貼り付けます。ストローに竹ひごとひもを一緒に通して、同時に小さい厚紙にテープで貼り付けます。
ひもを上の方で２回固結びをして、ぶら下がるようにします。
（問題18の切り取った紙を渡し）○を手でちぎり、目にします。
厚紙の表にちぎった目をのりで貼り付けて、中央を紫色で色を塗ります。
これで、「ぶらさがりくん」のでき上がりです。それでは、作ってみましょう。

〈時間〉　10分

〈解答〉　省略

学習のポイント

実際の試験では30人位の集団（昨年は半数程度）で制作が行われます。限られた短い時間での作業なので、最後まで仕上げることが大変難しいようです。正しい道具の使い方を身に付けることが大切です。慌てると道具の扱いが雑になったり、後片づけも疎かになりがちなので気を付けたいものです。落ち着いてできるように指導しましょう。ストローに竹ひごとひもを一緒に入れる作業は、なかなか困難な作業といえます。毎日の練習により制作、巧緻性の作業に差が出ます。

【おすすめ問題集】
★筑波大附属小学校工作攻略問題集★（材料付き）
実践 ゆびさきトレーニング①②③
Ｊｒ・ウォッチャー23「切る・貼る・塗る」

問題10　分野：制作

〈準備〉　丸と四角が書いてある紙・四角の発泡スチロール２個・割り箸３本・白のストロー１本・黒の綴じひも１本・青のシール・紙コップ・クーピーペン（青と赤）・スティックのり

〈問題〉　この問題は絵を参考にしてください。

これから荷物運びロボットくんを作ります。はじめに私が作りますから、よく見て覚えてください。後で同じロボットを作ってもらいます。

①最初に丸と四角が書いてある紙の○の所を青のクーピーペンで塗ります。続けて、四角のところを赤で塗ります。青のところは目、赤のところは口になります。
②紙コップに顔をのりで貼り付けます。
③ストローにひもを通して、その両端に発砲スチロールを結び、紙コップに青のシールで貼り付けます。
④３本の割り箸を紙コップに挟み、足にして立つように組み立てます。これで荷物運びロボットくんのでき上がりです。

では、同じようにやってみてください。

〈時間〉　15分

〈解答〉　省略

学習のポイント

「制作」「巧緻性」の課題は手先の器用さも必要ですが、なにより説明を正しく理解して作業を進めることが求められます。ふだんの生活の中で「指示通りに物を作る作業」を経験することは多くはないでしょう。自分の思う通りでなく、指示された物をその通りに作るには、聞く力、手際のよさ、集中力など、さまざまな力が複合的に必要となってきます。できるだけ苦手意識を持たせないように、楽しみながら取り組むことができるとよいですね。

【おすすめ問題集】

★筑波大附属小学校工作攻略問題集★（材料付き）

実践 ゆびさきトレーニング①②③、Ｊｒ・ウォッチャー23「切る・貼る・塗る」

問題11　分野：お話の記憶

〈準備〉　クーピーペン（12色）
問題の絵はお話を読み終わってから渡す。

〈問題〉　**この問題の絵は縦に使用してください。**
これからするお話をよく聞いて、後の質問に答えてください。

空にうろこ雲が浮かんでいて、とても気持ちのいい日のことです。ウマ君とウサギさんとリスさんとキリン君はクリの木山にクリ拾いに行くことになりました。待ち合わせ場所はみんなの学校の大きなイチョウの木の下です。１番に来たのはリスさんで、青のリュックサックを背負って青の水筒を首からさげてピンクの帽子をかぶっています。２番目に来たウマ君は緑のリュックサックに赤の水筒で赤の帽子をかぶっています。３番目に約束の時間ギリギリになってウサギさんがタオルで汗を拭きながら走って来ました。「待たせてごめんなさい。わたしが１番最後だと思ったのにキリン君がまだ来ていないね」ウサギさんは黄色のリュックサックに白の帽子をかぶって緑色の水筒を肩から斜めに提げています。「ねえ！ウサギさんのリュック何でそんなに膨らんでるの？」とウマ君が聞くと「お弁当よ。おにぎりが５個とクリームパンが１個とジャムパンが１個とチョコレートが１個とミカンが５個はいっているの。ミカンはまだちょっと青いから酸っぱいかもしれないわ」「え～！それ全部ウサギさんが１人で食べるの？」ウサギさんのお弁当にリスさん、ウマ君はびっくりしました。そこにやっと緑色と黒のチェック柄の帽子とお揃いのリュックサックに黄色の水筒を持ったキリン君が来て「あ～！みんな揃っているね。それじゃあ出かけよう」とすまして言いました。するとウサギさんが「遅刻してきたんだからちゃんとみんなに謝りなさいよ」と怒って言いました。するとキリン君は「だって、お母さんが起こしてくれないから寝坊しちゃったんだ。昨日「ちゃんと起こして」って頼んだのに、起こすのを忘れたお母さんが悪いんだよ」と言いました。「来年になったら１年生になるんだからちゃんと自分で起きる練習をした方がいいと思う」とウサギさんがやさしく言いました。それを聞いたキリン君は「ごめんなさい」と小さい声で謝りました。「さあ！出発しよう」ウマ君の元気な声でクリの木山に向けて出発です。クリの木山入り口まではバスに乗って行きました。ススキが銀色に輝きながら風に揺れている原っぱを通り過ぎて、しばらく山道を歩いていると途中でイノシシさんの家族に出会いました。イノシシさんたちはこの山道のすぐしたの川で魚釣りをするところでした。イノシシさんたちと別れてまた山道を登っていると「あ～、もう疲れちゃったよ」とキリン君が言いました。「もうすぐ頂上に着くよ。クリの木山は山の上の方にクリの木が生えているんだ。僕たちが歩いている道の両側はクリの木だらけだよ」ウマ君が教えてくれました。「わ～！頂上に着いたわ」ウサギさんとリスさんがピョンピョンはねながら喜びました。みんなは荷物を置くとさっそくクリ拾いを始めました。ウサギさんが「みんな、これをはめると良いわ」と用意してきた軍手を渡しました。「これならクリのイガも痛くないね」とみんな口々に言いながらクリを拾い始めました。ところがクリがあまり落ちていません。ガッカリしているとそこにクマ君が来て「みんなどいて」と声を掛けるといきなりクリの木に「ドス～ン」と体当たりをしました。「バラバラバラ！」クリがみんなの目の前に落ちてきたではありませんか。クマ君のお陰でクリがたくさんとれました。すっかりお腹が空いてしまったみんなはクマ君も仲間に入れてお弁当を食べました。クマ君にはウサギさんがおにぎりを２個とクリームパンとジャムパンとを１個ずつわけて、ミカンはみんなに１個ずつあげました。リスさんはカキを６個持ってきていたのでみんなに１個ずつあげました。お弁当を食べた後、みんなはクリの木の林で隠れんぼをしたり鬼ごっこをしたりして楽しく遊びました。帰り道で「今度はクマ君も一緒にまたみんなでハイキングに行こうね」とウマ君が言いました。

①このお話に出てきた動物に青のクーピーペンで○をつけてください。
②待ち合わせの場所に２番目に来たのは誰ですか。青のクーピーペンで○をつけてください。
③左の大きな○にはリスさんのリュックサックの色、小さな○には水筒の色を、右側の大きな○にはウマ君のリュックサックの色、小さな○には水筒の色をそれぞれ塗ってください。

④ハイキングの途中で出会った家族に青のクーピーペンで○をつけてください。
⑤ウサギさんが食べたものに青のクーピーペンで○をつけてください。
⑥このお話の季節はいつだと思いますか。同じ季節の絵に青のクーピーペンで○をつけてください。それはお話のどこでわかりましたか、お話してください。

〈時 間〉　各30秒

〈解 答〉　①右から２番目　②ウマくん　③リスさん（リュックサック＝青・水筒＝青）ウマ君（リュックサック＝緑・水筒＝赤）　④左から２番目
⑤右端（おにぎり３個・チョコレート１個・ミカン１個・カキ１個）
⑥右から２番目（お月見）・どこで季節が秋だとわかりましたか＝秋になるとできるうろこ雲・クリ拾い・ミカン・ススキ・リスさんの持ってきたカキなど

学習のポイント

毎年出題される話の記憶は、どのグループでもかなり長いお話が読まれます。登場人物が多いだけではなく、展開も複雑になることが多いようです。さらに細かな表現ついての質問、お話の流れとはあまり関係のない質問が多く出されるとなれば、ある程度「練習」したお子さまでなければ答えられないのは当然でしょう。さて、本問はそのパターンを踏襲している典型的な問題です。もちろんお話を丸暗記することはできないので、お話を聞きながら、「誰が～をした」という形で内容をまとめていきます。例えば「空にうろこ雲が浮かんでいて、とても気持ちのいい日のことです」という文章があれば「うろこ雲（秋）・晴れ」とまとめるのです。それ以外の部分は覚えません。この時、当校の「お話の記憶」に慣れていないお子さまにすすめたいのが「場面をイメージする」こと。出題されそうなポイントが記憶できるだけなく、「色」「形」「数」といった細かな表現についても自然と記憶に残るようになります。

【おすすめ問題集】

★筑波大附属小学校　新お話の記憶攻略問題集★（書店では販売しておりません）
1話5分の読み聞かせお話集①②、お話の記憶 初級編・中級編・上級編、
Ｊｒ・ウォッチャー19「お話の記憶」、34「季節」

問題12　分野：お話の記憶

〈準備〉　クーピーペン
問題の絵はお話を読み終わってから渡す。

〈問題〉　**この問題の絵は縦に使用してください。**
お話をよく聞いて後の質問に答えてください。
ある日のことです。動物村の動物たちの家に招待状と書かれた手紙が配達されました。その手紙には「今度の満月の夜、公園に来てください」と書いてあるだけで、誰からの手紙なのかわかりません。「だれかのいたずらだろう」「こんな手紙をよこしたのは誰だ」とみんな不思議に思っていました。すると、なんと手紙をもらったのはみんなお年寄りの動物たちばかりということがわかりました。「誰のいたずらかは知らないけれど騙されたと思って満月の夜に公園に行ってみようじゃないか」とヤギのおじいさんが言ったので「ではその時にご馳走を持って、みんなでお月見をしましょう」とタヌキのおじいさんが言いました。「それがいい。それがいい」とキツネのおばあさんやイヌのおじいさんやクマのおじいさんもなんだか楽しい気持ちになり、満月の夜を楽しみに待つようになりました。一方、村のはずれにある森の中では動物村の子どもたちが集まって音楽会の練習をしていました。イヌさんとウシさんとクマさんはハーモニカ、リスさんはタンバリン、ブタ君とカバ君とコアラ君は笛（リコーダー）、ネズミ君はカスタネット、タヌキ君は太鼓、そしてネコさんは指揮者です。音楽会で演奏する曲は「森の音楽家」です。でもどうしても音が合いません。「ブタ君とコアラ君が音を外すから合わないんだよ」とカバ君が言いました。「どうしてぼくのせいにするんだよ。音を間違えているのはカバ君だよ」とうとうブタ君とコアラ君とカバ君が笛を放り出して喧嘩を始めたので練習ができなくなってしまいました。「満月の夜は明日なのよ。いつも私たちのために公園の掃除をしたり、いろんなことを教えてくれる村のおじいさんやおばあさんを招待して喜んでもらおうとしているのに、これじゃあ音楽会なんてできないじゃない」リスさんとクマさんが怒って言いました。「もう今日は練習はお終いにします」ネコさんも怒って言いました。ほかのみんなも怒って帰ってしまいました。みんなが怒って帰った後、ブタ君もコアラ君もカバ君も喧嘩をやめてションボリしています。「みんなに悪いことしちゃったね」とブタ君、「だって、僕はちゃんと吹いているのに君たちが僕のせいにするんだもん」とカバ君、「まだそんなこと言ってるの？　それより僕たちのせいで音楽会ができなくなったら大変だよ。ちゃんと吹けるように練習しようよ」とコアラ君、「よ～し！頑張ろう」と放り出していた笛を拾うと夕方になるまで練習をしました。次の日、いよいよ今日は招待した村のおじいさんやおばあさんに演奏を聴いてもらう日です。本番の前にもう１度森に集まったみんなは最後の練習を始めました。するとどうでしょう、昨日までバラバラで音がちゃんと合っていなかった笛がとても上手になっているではありませんか。ブタ君とカバ君とコアラ君はみんなに「昨日はごめんね。ちゃんと三人で練習したんだ」と謝りました。夕方になって西の山の方から大きなまんまるい月が昇る頃、公園には招待状をもらったおじいさんやおばあさんたちがそれぞれご馳走を持って集まってきました。すると楽器を持った子供たちがやって来て並ぶと「おじいさん、おばあさん、いつもありがとう。これからも元気でいてください。今日はお礼に「森の音楽家」と言う曲を演奏しますから聴いてください」と子どもたちを代表して指揮者のネコさんが挨拶をしました。いよいよ演奏が始まったのですがここで大問題が起きてしまいました。それは演奏中に張り切って強く叩き過ぎたタヌキ君が太鼓を「バリッ！」と破いてしまったのです。「わたしゃ音楽家、山のタヌキ、上手に太鼓を叩いてみましょ」とみんなが唄うと、次は「ポコポン・ポン・ポン、ポコポン・ポン・ポンいかがです」とタヌキ君が唄いながら太鼓を叩くところです。「あ～どうしよう！」でも何も知らないみんなは、「上手に太鼓を叩いてみましょ」と唄っています。さあ、たいへん！タヌキ君が泣きそうになった時、客席にいたタヌキのおじいさんが立ち上がると「ポコ・ポン・ポン・ポン」とお腹を叩きながらタヌキ君に目で合図をしました。それを見てタヌキ君も慌ててお腹を叩きながら「いかがです」と唄いました。いつの間にか村中の動物たちも集まって大笑いをしながらたくさん拍手をしてくれました。一生懸命に演奏をした子どもたちも招待されたおじいさんやおばあさんたちもとてもうれしそうです。それからみんなで楽しくお月見をしました。

①ご馳走を持ってきてお月見をしようと言ったのは誰でしたか。○をつけてください。
②村の老人たちはどこへ招待されましたか。○をつけてください。
③タンバリンは誰でしたか。○をつけてください。
④喧嘩をしていたのは誰でしたか。○をつけてください。
⑤指揮者は誰でしたか。○をつけてください。
⑥壊れてしまった楽器に○をつけてください。

〈時間〉　各20秒

〈解答〉　①右端（タヌキのおじいさん）　②左端（公園）　③左から２番目（リス）
④コアラ・ブタ・カバ　⑤真ん中（ネコ）　⑥右から２番目（太鼓）

学習のポイント

話の内容は簡単ですが話が長いこと、登場してくる動物の数が多いことに混乱しないようにしてください。ふだんからこうした長い話に慣れ、集中して聞けるように習慣付けておくことが大切です。こうした長いお話を聞く時には「いつ」「どこで」「だれが」「だれと」「何をした」といった話の要点をしっかりと押さえることがポイントになります。また、万が一混乱してしまっても、そこがどうだったかということにはこだわらず、お話の続きを聞くようにしてください。お話の続きの部分でそれがもう一度読まれることもあります。なかなか難しいことかもしれませんが、集中を切らさずお話の流れをつかむこと、出題されそうな細かな表現については押さえること。この２つを両立すれば、こうした問題にスムーズに答えることができます。

【おすすめ問題集】

★筑波大附属小学校　新お話の記憶攻略問題集★（書店では販売しておりません）
１話５分の読み聞かせお話集①②、お話の記憶 初級編・中級編・上級編、
Ｊｒ・ウォッチャー19「お話の記憶」、34「季節」

問題13　分野：お話の記憶

〈準備〉　クーピーペン
問題の絵はお話を読み終わってから渡す。

〈問題〉　**この問題の絵は縦に使用してください。**
お話をよく聞いて後の質問に答えてください。
ネコのニャン吉は幼稚園の年長組さんで、小学校２年生のお兄さんと３年生のお姉さんがいるちょっぴり甘えんぼさんで、でもとても元気な優しい男の子です。今日はお姉さんたちの小学校の文化祭なので春になったら１年生になる子どもたちはみんな招待されました。ニャン吉は、仲良しのイヌのワンワンとネズミのチューちゃんと小学校に出かけていきました。「小学校の門は幼稚園の門より大きいね」とワンワンが小さい声で言いました。「なんだかドキドキして来ちゃった」とチューちゃんも言いました。門のところには６年生のバッチを付けたウシのお兄さんやウサギのお姉さんが立って、１人ひとりの胸にコスモスの花を付けてくれました。「どうもありがとう」と３人が言うと「どういたしまして。今日は歌や劇や楽器の演奏もやっているから楽しんで行ってね」とウサギのお姉さんが優しく言いました。「食堂にはジュースやケーキもあるよ」元気の良さそうなウシのお兄さんが教えてくれました。最初に一番端の教室に行くと、そこは「家庭科室」と書いてあって、きれいに刺繍されたハンカチやお揃いの毛糸で編んだ靴下と手袋と帽子やスカートにカバン、大きなテーブルクロスなど、お兄さん、お姉さんの作った作品が飾ってありました。「みんな上手だね」「きれいだね」

「暖かそうだね」と３人は口々に褒めながら見て回りました。部屋を出たところでクマのクーちゃんに会ったので４人で回ることにしました。次は「工作室」と書いてある部屋で、木で作った本立てやオルゴールの箱や電気のつくスタンドや粘土で作った湯呑茶碗が並んでいました。次の部屋は「美術室」でお友だちの顔や村の景色や花の絵が飾ってありました。「疲れちゃったからジュースを飲みに行こうよ」とワンワンが言ったのでみんなは急に喉が渇いた気持ちになって急いで食堂に行きました。食堂はまだすいていたので４人は窓際の、菊の花がたくさん咲いている花壇が見える席に座りました。ニャン吉とワンワンはソーダとシフォンケーキ、チューちゃんとクーちゃんはリンゴジュースとショートケーキを頼みました。しばらくすると「お待たせしました」と言いながら真っ白なエプロンをして頭に白い三角巾をつけたニャン吉のお姉さんがお盆にジュースやケーキを乗せて運んできました。ジュースを飲んでケーキを食べてこれからどうしようかみんなで相談していると、「このあと体育館で「ブレーメンの音楽隊」の劇と音楽会があるから行くといいわ。少し早いけど今行けば前の方に座れると思うわよ」とニャン吉のお姉さんが教えてくれました。体育館に行く途中で「ニャン吉のお姉さんは優しいね」とチューちゃんとクーちゃんが言ったのでニャン吉はち少しうれしい気持ちになりました。体育館に行くと前から２番目の席が空いていたので４人は仲良く並んで座ることができました。「ブレーメンの音楽隊」の劇は「人間に捨てられたり、食料として殺されそうになったロバやネコやニワトリやイヌが、ブレーメンという街に行って音楽隊に入ろうと一緒に旅に出るところから始まります。途中森の中にある一軒の家に泊めてもらおうとすると、そこは大泥棒たちの家でした。そこでみんなは相談をしてその日の夜中、ロバの頭の上にイヌが乗り、イヌの頭の上にネコが乗り、ネコの頭の上にニワトリが乗って窓から化け物のような影をのぞかせ、それぞれが大声を出して脅かしました。泥棒たちは「化け物だ〜。たすけてくれ〜！」と大慌てで逃げ出します。家が空っぽになったのでロバとイヌとネコとニワトリはブレーメンには行かずに森の中の家で仲良く暮らしました」というとても面白いお話でした。劇に出た６年生も「とても上手だったな！」とニャン吉は思いました。劇の後は音楽会でニャン吉のお兄さんも出て一生懸命に歌を唄っていました。音楽会が終わって校庭に出ると４年生・５年生のバッチを付けたお兄さんやお姉さんたちがボール投げをしたり、縄跳びをしたり、鬼ごっこをしたりして遊んでくれました。鬼ごっこをしている時ニャン吉が転ぶとすぐに「保健室」という部屋に連れて行ってすりむいた膝を消毒して星柄のバンソウコウを貼ってくれました。帰る時、門のところで６年生のウシのお兄さんとウサギのお姉さんから表紙にイヌの絵が描いてあるノートと鉛筆を１つずつもらいました。４人は「ありがとうございました」とお礼を言って門の外に出ました。そして口々に「今日は楽しかったね」「学校に行くのが楽しみだね」と言いながら家に帰っていきました。

①はじめにニャン吉が一緒に学校に行ったお友だちは誰でしたか。○をつけてください。
②門のところで６年生のお兄さんやお姉さんが胸に付けてくれたものは何ですか。○をつけてください。
③１番始めに入った部屋に飾ってあったものに○をつけてください。
④ブレーメンの音楽隊に出てきた動物に○をつけてください。
⑤帰る時おみやげに何をもらいましたか。もらったものに○をつけてください。
⑥このお話の季節はいつだと思いますか。同じ季節の絵に○をつけてください。

〈時 間〉　各20秒

〈解 答〉　①真ん中、右から２番目（ネズミのチューちゃん、イヌのワンワン）
②左から２番目（コスモス）　③左から２番目（毛糸の帽子・手袋・靴下）
④ロバ・ニワトリ　⑤左端（イヌの絵のノートと鉛筆１本）
⑥左端、右から２番目（サツマイモ掘り、お月見）

学習のポイント

あまり出題されたことはありませんが、古今東西の「有名な民話・童話」を下敷きにしたお話やそれについてのお話から出題されることがあります。「有名なお話の劇をする子どもたち自分の役について話し合う」といったものまで出題されています。ここでは小学校の文化祭で上演された「ブレーメンの音楽隊」の劇を観る幼稚園児、という設定でお話が展開します。それだけでもややこしいのですが、さらに登場人物も動物ということでお子さまが混乱するのも無理はない作りです。繰り返しになりますが、「誰が」「何を」「～した」というポイントを覚えるために、場面をイメージしながらお話を聞きましょう。もちろん、「ブレーメンの音楽隊」がどんなお話なのかがわかっていれば、その部分を覚える必要がなく、お話の展開もわかりやすくなります。読み聞かせや絵本、なんでも構いませんが有名なお話を知っておくのも学習の１つです。

【おすすめ問題集】

★筑波大附属小学校　新お話の記憶攻略問題集★（書店では販売しておりません）
１話５分の読み聞かせお話集①②、お話の記憶 初級編・中級編・上級編、
Ｊｒ・ウォッチャー19「お話の記憶」、34「季節」

問題14　分野：図形（図形の構成）

〈準 備〉　クーピーペン（青）

〈問 題〉　左上の段の絵を見てください。左の四角の図形を組み合わせてできる形に○をつけてください。図形は向きを変えても構いませんが、裏返しや重ねることはできません。①～⑤まで順番にやりましょう。

〈時 間〉　３分

〈解 答〉　下図参照

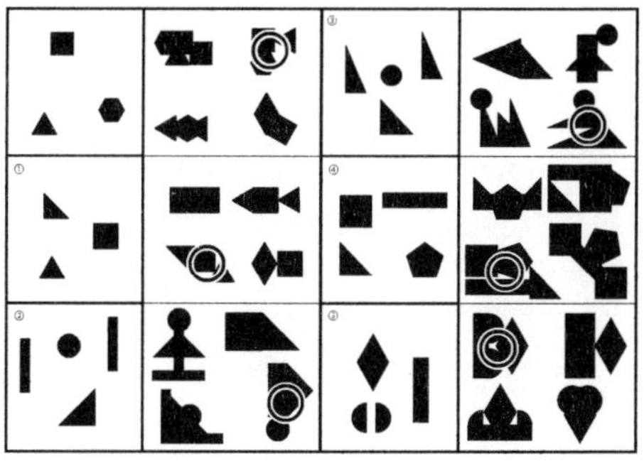

学習のポイント

当校入試では図形分野の問題も設問の数が多く、正確さとスピードが要求される作りになっています。この問題は図形の合成の問題ですが、いちいち「この形をここに当てはめて、次はこれを…」とやっているとあっという間に解答時間をオーバーしてしまいます。これを避けるには同じような問題に慣れることが１番です。ただし、ここでの「慣れる」はただ単に似たような問題を数多く解くという意味ではなく、「時間内に、正確に答えるためのコツや考え方を身に付ける」という意味での「慣れる」です。よく考えてから問題を進めましょう。図形の合成では、判断を早くするために合成する図形をすべてを当てはめるのではなく、１つのピースだけを当てはめていくと判断が早くなります。①であれば左の四角にある「■」のあるなしだけで、選択肢を観察していくというわけです。

【おすすめ問題集】

★筑波大附属小学校図形攻略問題集①②★（書店では販売しておりません）
Ｊｒ・ウォッチャー９「合成」

問題15　分野：図形（構成）

〈準 備〉　クーピーペン（青）

〈問 題〉　左上の段の絵を見てください。左の四角の図形を組み合わせてできない形に○をつけてください。図形は向きを変えても構いませんが、裏返しや重ねることはできません。①～⑤まで順番にやりましょう。

〈時 間〉　３分

〈解 答〉　下図参照

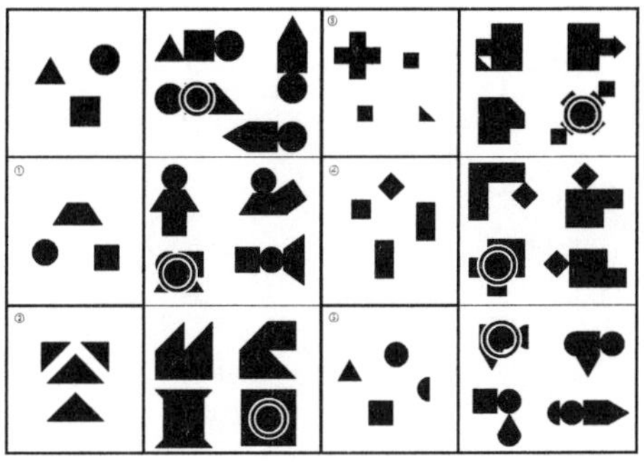

学習のポイント

前問に引き続き、図形の合成の問題です。違いは「できないものを見つける」という点だけです。こうした問題では「～のないものを見つける」という「消去法」を使いましょう。見本の形の１つを選び、選択肢の形と照合していき、「見本の図形がないものが答え」というわけです。例題で考えると見本の「▲」がない形は選択肢には１つしかありません。これが答えになります。もちろん、見本のどの形から照合していくか、選択肢の図形をどのような順番で照合していくかというあたりに、同じような問題を解いた経験が生かされてくるので、「慣れる」は大切です。

【おすすめ問題集】

★筑波大附属小学校図形攻略問題集①　②★（書店では販売しておりません）
Ｊｒ・ウォッチャー９「合成」

問題16　分野：図形（点対称・座標の移動）

〈準 備〉　クーピーペン（赤）

〈問 題〉　左上の絵を見てください。左のマス目の中に、●と○があります。○が●を通って反対側に動くと、それぞれどのようになりますか。○が移動するところに○を書いてください。○がマス目の外に行く時には○を書いてはいけません。

〈時 間〉　３分

〈解答例〉　下図参照

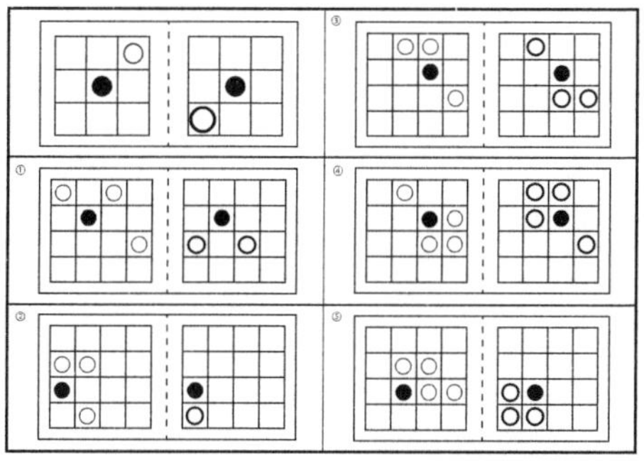

学習のポイント

当校入試の図形問題では珍しいことですが、少しひねった聞き方をしているので注意してください。結局「左の図形の対称の図形では○はどのようになっているか」を聞いている問題なのですが、「対称」という言葉を使わないで説明しようとするとこのようになるということです。お子さまの理解としては何問か問題を解いているうちに「左の図形の『ひっくり返った形』が右側の形になる」程度で充分でしょう。このように数字や文字が使えない小学校受験ならではの難しさというものがあると保護者の方も知っておいてください。問題の１つひとつはそれほど難しいものではありません。時間にも比較的余裕があるので、落ち着いて考えても充分間に合います。

【おすすめ問題集】

★筑波大附属小学校図形攻略問題集①②★（書店では販売しておりません）
Ｊｒ・ウォッチャー８「対称」

問題17　分野：図形（回転図形・重ね図形）

〈準 備〉　クーピーペン（青）

〈問 題〉　左上の絵を見てください。矢印がついている図形を矢印の方向に傾かせ、その隣の図形に重ねます。その時に○がないマス目はどこでしょうか。右端の四角にその位置を書いてください。

〈時 間〉　３分

〈解答例〉　下図参照

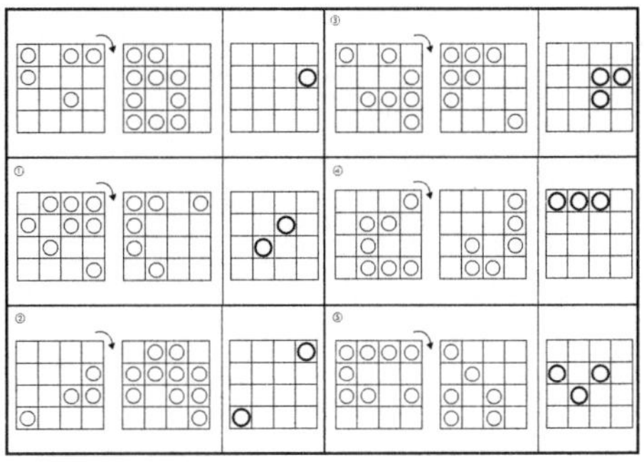

学習のポイント

回転図形と重ね図形の複合問題としていますが、「（図形を）回転させてから重ねる」というだけの意味です。ただし、「～したら～という形になる」、「○の位置は～移動する」といったイメージをしなくては答えられないので、その意味では問題を解いた経験がないとかなり難しくなってしまいます。２段階の変化だと混乱してしまうというお子さまは「回転させた時にどのようになるか」を解答と勘違いされないようにメモしておいてもよいでしょう。○の移動する位置に「✓」を書き込んでも構いません。とにかく混乱して時間をロスしないようにしてください。

【おすすめ問題集】

★筑波大附属小学校図形攻略問題集①②★（書店では販売しておりません）
Ｊｒ・ウォッチャー35「重ね図形」、46「回転図形」

問題18　分野：図形（系列）

〈準 備〉　クーピーペン（赤）

〈問 題〉　図形に書かれている記号はお約束どおりに並んでいます。空いている太い四角の中にはどのような記号が入るでしょうか。その記号を太い四角の中に書いてください。

〈時 間〉　3分

〈解 答〉　下図参照

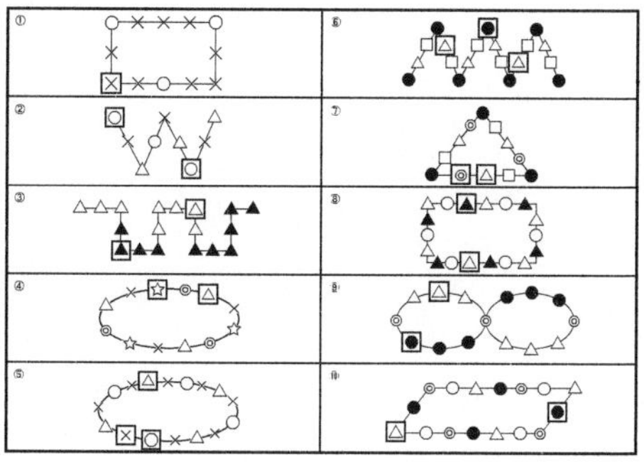

学習のポイント

昨年出題された「系列」の問題です。ここでは円や図形の上に記号が並んでおり、機械的に答えることができません。当たり前と言えば当たり前ですが、どのようなパターンで並んでいるかを絵を見ながら考えるのが1番です。系列の問題がよくわかっていなければ、どこからでも構わないので空いているところに、記号を一列に並ぶように書いてみてください。①なら右回りに「○×××○×××○××？」となります。これなら、答えがすぐにわかるでしょう。もちろん、入試本番では時間がないので、前後の記号の並び方から推測しないと間に合いません。実際に記号を書かなくても、パターンを推測できるような思考力が必要ということです。

【おすすめ問題集】

★筑波大附属小学校図形攻略問題集①②★（書店では販売しておりません）
Ｊｒ・ウォッチャー６「系列」

問題19　分野：図形（系列）

〈準 備〉　クーピーペン（青）

〈問 題〉　図形に書かれている記号はお約束どおりに並んでいます。空いている【　】の中にはどのような記号が入るでしょうか。その記号を【　】の中に書いてください。

〈時 間〉　３分

〈解 答〉　下図参照

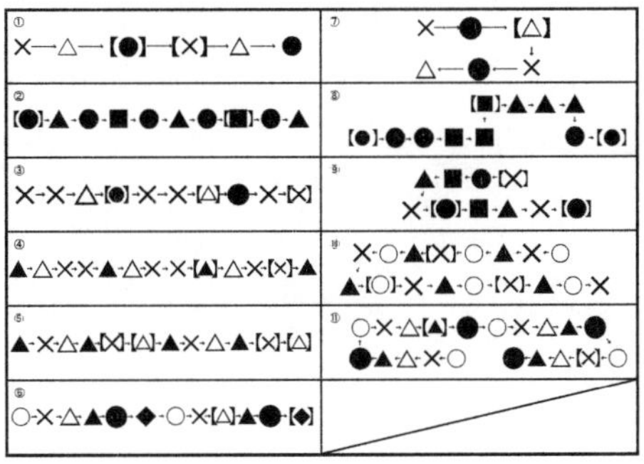

学習のポイント

前問に引き続き、「系列」の問題です。この問題では「同じ記号や絵を探してそれぞれ別の指で押さえ、その指の間隔を保ったまま、『？』になっているマスに、一方の指を移動させて解答を導く」というテクニックが使えます。注意すべきなのは「○▲○▲□○▲○▲□」といった同じ記号が１つのパターンに２回以上出てくる系列。お子さまは混乱しそうです。こうした問題も出題されることがあるので、やはりテクニックは充分にその問題を理解していない限り使わない方がよいのかもしれません。なお、問題によって解き方が使い分けられるならそもそもこのテクニックを使う必要はなく、「どういうパターンで記号が並んでいるか」と考えた方が早く答えが出ます。

【おすすめ問題集】

★筑波大附属小学校図形攻略問題集①②★（書店では販売しておりません）

Ｊｒ・ウォッチャー６「系列」

問題20　分野：制作

〈準 備〉　紙コップに穴をあけておく（問題20の絵を参照）。黒の○シール（小）２枚・白の丸シール（大）２枚・緑のひも１本・○が書いてある台紙・アルミ箔の小分け容器・発泡スチロールでできた白いボール・赤のシール１枚・クーピーペン（オレンジ）・スティックのり

〈問 題〉　**この問題は絵を参考にしてください。**
これから「けん玉くん」を作ります。はじめに私が作りますからよく見て覚えてください。後で同じ人形を作ってもらいます。
①はじめに、赤のシールでボールをひもに貼り、アルミ箔の小分け容器でボールを包みます。
②紙コップの穴にひもを通し、内側から固結びで結びます。
③紙コップに白の丸シール（大）を貼り、その上に黒の丸シール（小）を貼って目を作ります。
④○の書いてある台紙をオレンジのクーピーペンで塗り、線に沿って手でちぎり、スティックのりで貼り付けて口にします。
これで「けん玉くん」ができ上がりました。でき上がっても私が「いいですよ」と言うまで「けん玉くん」で遊んではダメですよ。では始めてください。

〈時 間〉　10分

〈解 答〉　省略

学習のポイント

当校の制作の問題でチェックされるのは①指示を理解してそのとおりに実行できること。②年齢なりの知識（常識）・技術があることです。少しこれよりは比重は低いですが、③時間内に作るだけの計画性も評価されているかもしれません。家庭で練習する時もそういったポイントに注目してください。①については「結果だけではなく順序まで言われた通りに」というところまで徹底しましょう。かなり細かいところまで観察されています。結果が同じならよいというわけではないのです。逆に②は「年齢なりの…」と断っているように、一通りのことさえできれば問題ありません。当校でよく出題される「ちぎり」についても同じです。最後に③ですが、これは「できれば」の目標としてください。当校の制作の問題は年々簡単になっているので、「これぐらいならできて当然」と考えるようになっているかもしれないのです。

【おすすめ問題集】

★筑波大附属小学校工作攻略問題集★（材料付き）
実践 ゆびさきトレーニング①②③
Ｊｒ・ウォッチャー23「切る・貼る・塗る」

問題21　分野：記憶

〈準備〉　クーピーペン（赤・青・黄）
問題の絵はお話を読み終わってから渡す。

〈問題〉　**この問題の絵は縦に使用してください。**
これからするお話をよく聞いて、後の質問に答えてください。

お母さんがおばあちゃんの入院している病院へ行くことになったので、さおりちゃんと弟のしょうくんは２人でお留守番をすることになりました。お母さんは近くの病院までバスで行きます。そこにおばあちゃんは入院しているのです。今日、おばあちゃんは退院できることになったので、お母さんはお迎えに行きます。「お母さんが出たらお家の鍵を中からちゃんと閉めてね。おやつは冷蔵庫にプリンが入っているから１つずつ食べてね」そう言って、お母さんは出かけていきました。行ってらっしゃいをして、さおりちゃんは言われたとおりに鍵を中から閉めました。冷蔵庫からプリンを出して、しょうくんの分はロボットの模様のお皿に、さおりちゃんの分はチューリップの模様のお皿に載せてテーブルに置きました。しょうくんはお母さんがいなくてちょっと不安そうです。「しょう、プリン食べたらおねえちゃんが絵本を読んであげるね」「うん」しょうくんはうれしそうにニコニコしました。おやつがすむと、しょうくんは絵本を持ってきました。サルとウスとハチとクリとカニが出てくるお話で、さおりちゃんも何度もお母さんに読んでもらってよく知っているお話です。さおりちゃんはいつもお母さんがしてくれるみたいにとても上手に読んであげました。絵本を読んだ後は２人で折り紙をしました。しょうくんはヒコーキを２つ青色と黄色の折り紙で折りました。さおりちゃんはツルを赤色とピンク色で折りました。ツルの折り方はおばあちゃんが教えてくれました。おばあちゃんが退院できるなんてうれしいなあと思いながらツルを折っていると、家の前で車が止まる音がして、ピンポーンとチャイムが鳴りました。「ハーイ」さおりちゃんが走って玄関へ行くと外から「ただいま、お母さんよ」と声がしました。「おかえりなさい」元気に言ってドアを開けるとタクシーから降りたばかりのおばあちゃんと荷物をたくさん持ったお母さんが立っていました。

（問題21の絵を渡して）
①１番上の段を見てください。お出かけする前にお母さんが１番はじめにするように言ったのは何でしたか。青色クーピーペンで○をつけてください。
②上から２段目を見てください。さおりちゃんのプリンを載せたお皿の絵に赤色クーピーペンで、しょうくんのプリンを載せたお皿の絵に青色クーピーペンで○をつけましょう。
③上から３段目を見てください。お母さんは病院へ行く時、何で行きましたか。青色クーピーペンで○をつけましょう。
④下から２段目を見てください。さおりちゃんが読んだ絵本に出てこなかったものに青色クーピーペンで○をつけましょう。
⑤この絵本のお話が何だか知っていますか。お口で答えてください。
⑥１番下の段を見てください。○が２つあります。しょうくんが折ったヒコーキの色で○を塗ってください。

〈時間〉　各10秒

〈解答〉　①青色の○：左から２番目（鍵を閉める）
②赤色の○：左から２番目（チューリップ）、青色の○：右から２番目（ロボット）
③青色の○：右端（バス）　④青色の○：左端（ウサギ）　⑤さるかに合戦
⑥青色と黄色

学習のポイント

当校のお話の記憶で題材にされるお話は、ほとんどが動物が登場人物のお話です。まれに本問のような志願者と同年代の子どもが主人公のお話が題材になります。ここでは、出題されて戸惑わないように、あえて子どもが主人公のお話を取り上げました。もっとも、登場人物が違っても起こる出来事は、日常よく目にするもので、突飛な展開や登場人物の行動はありません。お話が長い割に、すんなりと頭に入ってくるのはそのせいでしょう。また、当校の入試でこのレベルの難しさなら、ほかの志願者がほぼ間違えません。ケアレスミスがないように慎重に解答しましょう。なお、登場人物の気持ちを推察する問題や、ストーリーとは直接関係ない分野の質問（季節や理科的常識を聞くなど）を聞くといった、応用力が必要な出題が必ず２～３題は出題されます。慣れてくると自然と聞かれそうな箇所はわかってくるのですが、そういった勘が働くようになるまでは、「登場人物は～の～人で」「～は～した」といった「事実」を整理しながら聞いてください。

【おすすめ問題集】

★筑波大附属小学校　新お話の記憶攻略問題集★（書店では販売しておりません）
１話５分の読み聞かせお話集①・②、お話の記憶 初級編・中級編・上級編、
Ｊｒ・ウォッチャー19「お話の記憶」

問題22　分野：記憶

〈準 備〉　クーピーペン（赤・青・黄）
問題の絵はお話を読み終わってから渡す。

〈問 題〉　**この問題の絵は縦に使用してください。**
これからするお話をよく聞いて、後の質問に答えてください。

カバ先生は歯医者さんです。先生がとても優しくて上手なお医者さんなので病院はいつも患者さんでいっぱいです。今日はワニのおじいさんから電話がかかってきたので、ワニおじさんの家に行きます。黒いかばんの中にワニさん用の大きなブラシとペンチとピンセットと虫メガネを入れて出かけました。ワニのおじいさんの家への道を歩いていると、道の端の木の根っこに腰かけて、サルさんがシクシク泣いていました。「おやおや、サルさんどうしたの？　何が悲しくて泣いているの？」カバ先生がたずねるとサルさんは「違うよ。昨日から耳が痛くて痛くてたまらないんだ。おまけになんだかわからないこわい音が、どこかから聞こえてくるんだよ」そう言ってますます大きな声で泣きました。「どれどれ、僕は歯のお医者さんだけど、何かわかるかもしれないよ。見せてごらん」カバ先生はかばんの中から虫メガネを出してサルさんの耳の中をのぞいてみました。「おやおや、これは痛いはずだよ。小さなテントウムシが耳の中に迷い込んでいるよ。ちょっと待って、取ってあげるよ」今度はかばんの中からピンセットを取り出しました。上手に使ってテントウムシはすぐに取れました。泣いていたサルさんはもうニコニコです。「ありがとう先生。お礼にこれをどうぞ」サルさんはきれいなヒマワリの花を２本くれました。少し歩いていくと信号がありました。信号が変わるまで止まって待っていました。すぐに信号が変わったので渡ろうとすると向こうの方から走ってきたキリンさんがイバラの繁みに足を突っ込んでバッターンと転んでしまいました。「アイタタタッ。痛いよ～痛いよ～」キリンさんは大声で叫びました。カバ先生は急いでキリンさんのところに走りよりました。キリンさんの足は、イバラにからまって傷だらけです。「大変、大変、キリンさん。今、イバラを取ってあげるからね」カバ先生はイバラを取ろうとしましたが、イバラはトゲがたくさんあって触れません。「そうだ、いいものがあるよ」カバ先生はかばんからペンチを出しました。それを使ってイバラの枝をパチンパチンと切り始めました。間もなく、からまっていたイバラは全部取れました。「ほら、

もう大丈夫。キリンさんあまり急がないでゆっくり走ってね」カバ先生が言うと、キリンさんは恥ずかしそうに頭をかきながら「ありがとう先生。お礼にこれをどうぞ」と大きなパイナップルを３個もくれました。カバ先生はまた歩き出しました。信号を渡って向こうに緑色の池が見えてきました。そこがワニのおじいさんのお家です。

(問題12の絵を渡して)
①１番上の段を見てください。お話に出てこなかった動物に赤色クーピーペンで×をつけてください。
②上から２段目を見てください。カバ先生のかばんに入っていたものはどれですか。青色クーピーペンで○をつけてください。
③上から３段目を見てください。カバ先生が歩いて行った時、信号は何色でしたか。信号機の絵の正しいところにその色を塗ってください。
④上から４段目を見てください。絵の中から今の季節と同じものを見つけて赤色クーピーペンで○をつけてください。
⑤１番下の段を見てください。カバ先生がもらったお礼はみんな合わせると何個になりましたか。その数だけ黄色のクーピーペンで○を塗ってください。

〈時 間〉 ①～④各10秒、⑤適宜

〈解 答〉 ①赤色の×：左から２番目（トラ）、右端（パンダ）
②青色の○：左から２番目（虫メガネ）、右から２番目（ペンチ）、右端（ブラシ）
③右端を赤で塗る　④赤色の○：右端（花火）
⑤黄色で５つ塗る

学習のポイント

本問はお話が長いだけではなく、登場人物、出来事、場面転換も多いなど、かなり込み入った内容になっています。設問も持ちものや服装などの細かい描写、数や色、季節などを問う、他分野との複合的な問題がメインです。つまり、かなり難しい問題なのですが、入試までにはこのレベルの問題に答えなくてはなりません。聞き方の工夫としては、①情報を整理しながら、②お話のそれぞれの場面をイメージしておく、というのが基本です。例えば、「カバ先生が、交差点で信号（赤信号）が変わるのを待っている」というシーンをイメージしながらお話を聞くわけです。その時、カバ先生の服装や持ちものまで思い浮かべることができれば、「（その時）信号の色は何色でしたか」といった問題なら、スムーズに答えることができるはずです。もちろん、この「場面を思い浮かべるという作業」にはある程度慣れが必要です。問題を解くといった時に限らず、お話を聞く時にも意識してください。習慣にすれば、案外早く身に付くものです。

【おすすめ問題集】

★筑波大附属小学校　新お話の記憶攻略問題集★（書店では販売しておりません）
1話5分の読み聞かせお話集①・②、お話の記憶 初級編・中級編・上級編、
Ｊｒ・ウォッチャー19「お話の記憶」

問題23　分野：図形（回転図形）

〈準 備〉　クーピーペン（赤）

〈問 題〉　**この問題の絵は縦に使用してください。**

（問題23-１の絵を渡して）

①～⑥

左のお手本を矢印の方向にコトンと１回倒すとどうなりますか、あっている絵に○をつけてください。最後まで同じように続けてやってみましょう。

（問題23-２の絵を渡して）

⑦左のお手本を右に１回コトンと倒したら、白い○はどこになりますか。右の絵の正しい場所に○を書いてください。

⑧左のお手本の四角い箱を矢印の方向にコトンと１回倒した時、箱の中の線はどうなると思いますか、右の箱の中に線を書いてください。

〈時 間〉　①～⑥１分30秒　⑦45秒　⑧45秒

〈解 答〉　①左から２番目　②右端　③右から２番目　④左端　⑤右端　⑥左から２番目

⑦⑧下図参照

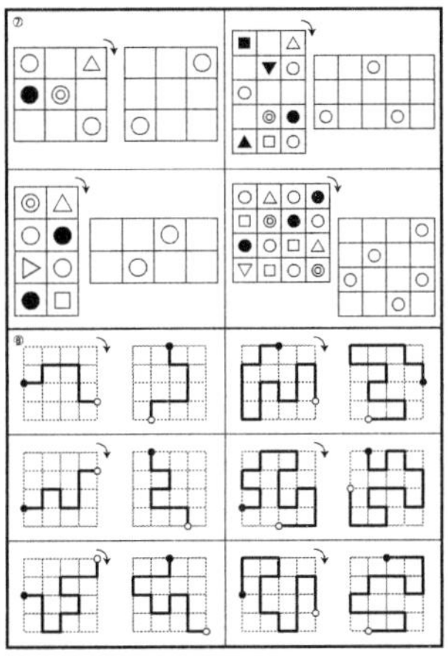

学習のポイント

回転図形の問題です。問題数が多いですが、この程度なら解答時間内に答えて当然というスタンスで入試が行われています。合格レベルは全問に答えて、なおかつ８割ぐらいは正解するといったところでしょうか。実際に絵を回転させて検証している時間はありません。そこで、「図形の操作」という言い方をしますが、図形が指示の回転するとどのようになるのかを想像しながら、正しい選択肢を選ぶ、あるいは答えを記入する必要があります。回転図形、特に当校で出題されるような、マス目に記号が記入されている正方形を回転させるものは、90度回転した（小学校受験では１回回すと言います）時に、○や△がどの位置にくるのかということ注目してください。選択肢を選ぶものであれば、それだけで答えが出ます。⑧のように、線が回転するものはこれらの応用ですが、記号でなく、線が回転していると見ましょう。回転した時にその線がどのような形なるかもイメージするので複雑になりますが、答えに関係のある図形のみを回転させれば、それほど混乱しないはずです。

【おすすめ問題集】

★筑波大附属小学校図形攻略問題集★（書店では販売しておりません）

Ｊｒ・ウォッチャー１「点・線図形」、８「対称」、48「鏡図形」

問題24　分野：図形（対称）

〈準　備〉　クーピーペン（赤）

〈問　題〉　左側にある形を太線のところから矢印の方へ折った時、どのような形になりますか。右の四角の中から選んで赤色のクーピーペンで○をつけてください。

〈時　間〉　1分

〈解　答〉　下図参照

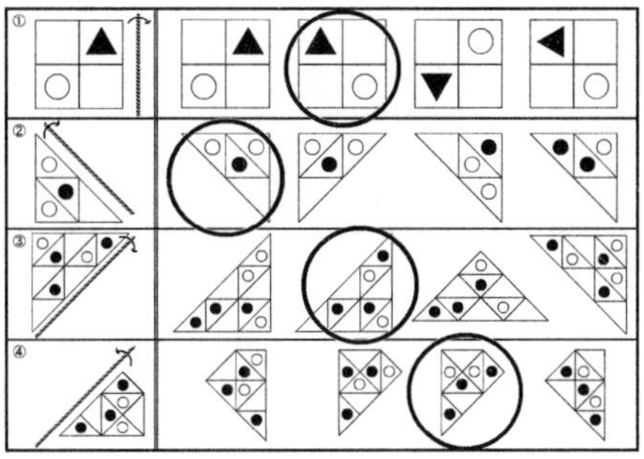

（○は赤色を使用）

学習のポイント

対称の問題です。各設問で、形を反転させる軸の向きが違うので注意してください。記号の位置が軸に対して対称になるのは当然ですが、図形そのものも対称の形になります（②～④では三角形が使われています）。対称あるいは展開の問題は、お子さまにとって説明されたからわかる、というものではありませんから、いくつかの例を見せて納得してもらうようにしましょう。イラストを切り取って、図形そのものを反転させるのです。そういった経験をすれば、この問題のように「正しいものを選択肢の中で選ぶ」という問題なら、直感的に答えがわかるようになります。次の段階としては、対称の形がどのような形かをイメージしてから答えることです。当校の入試はここ数年、解答として実際に記号を記入する機会が増えているので、それに対応できるように図形に対する感覚・知識を磨いておく必要があります。

【おすすめ問題集】

★筑波大附属小学校図形攻略問題集★（書店では販売しておりません）

Jr・ウォッチャー5「回転・展開」

問題25　分野：図形（重ね図形）

〈準 備〉　鉛筆、クーピーペン（黒）

〈問 題〉　**この問題の絵は縦に使用してください。**
問題25－1を見てください。
①折り紙が重なっています。下から2番目の折り紙に鉛筆で○をつけてください。
②折り紙が重なっています。上から3番目の折り紙に鉛筆で×をつけてください。
③左の2枚のお手本の絵は透き通った紙に書いてあります。2枚のお手本をそのままずらして重ねると、黒い線はどのようになりますか。右側の四角に黒のクーピーペンで書いてください。下の2つの段も同じように続けて書いてください。
問題25－2を見てください。
⑥左の絵は透き通った紙に書いてあります。その左の絵を右にパタンと裏返すとどの絵になると思いますか。その絵を右から探して鉛筆で○をつけてください。下の2つの段も同じように続けて○をつけてください。
⑨左の2枚のお手本の絵は透き通った紙に書いてあります。左側のお手本をそのままずらして右側のお手本の上に重ねるとどんな絵になりますか。右の絵の中から探して鉛筆で○をつけてください。下の段も同じように続けて○をつけてください。

〈時 間〉　①②各10秒　③④⑤各20秒　⑥⑦⑧⑨各15秒

〈解 答〉　下図参照

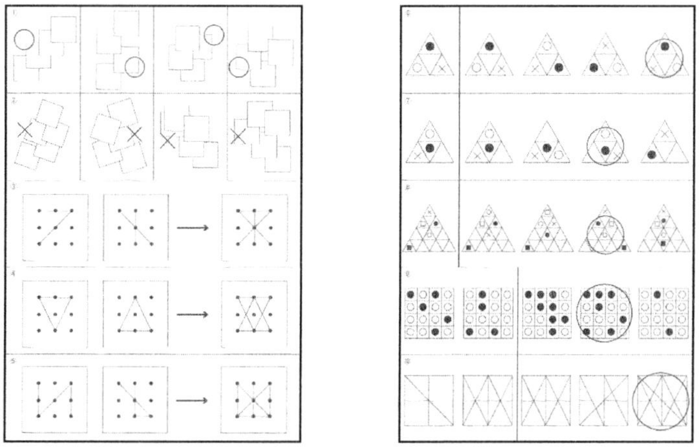

学習のポイント

問題①②は紙の重なり方を考える問題です。紙が折り重なっている様子を見た経験は、お子さまにもあるでしょうから、答えやすい問題かもしれません。ですが、問題③以降は重ね図形の問題です。単純に同じ形を重ねる問題だけではなく、図形を重ねてから反転した図形を探す問題もあるので、指示をよく聞き、考えてから解答するべきでしょう。重ね図形問題の解くポイントは「ぴったりと重なって、なくなる線や形はどの部分かを考える」ことです。それ以外は図形を重ねても、変化がないからです。なお、「裏返したもの（図形）はどれですか」という問いは、「鏡に映したもの（図形）はどれですか」という問いと同じ意味になります。勘のよいお子さまならすぐに気が付くかもしれませんが、ここでは特にポイントではないので、気が付かなくても特に問題はありません。

【おすすめ問題集】
★筑波大附属小学校図形攻略問題集①②★（書店では販売しておりません）
Ｊｒ・ウォッチャー35「重ね図形」

問題26　分野：図形（重ね図形・鏡図形）

〈準 備〉　クーピーペン（赤）

〈問 題〉　（問題26-１の絵を渡して）

①左上の☆のところを見てください。右の２つの絵は透き通った紙に書いてあります。この２つの絵を重ねて、左端のお手本と同じになるように、右端の絵の○を赤く塗ると、このようになりますね。では、同じようにほかの問題もやってみましょう。

（問題26-２の絵を渡して）

②左上の☆のところを見てください。右の２つの絵は透き通った紙に書いてあります。右端の絵を左側にパタンと倒して重ねると左端の絵と同じになりますね。それでは、それぞれの段で左端の絵と同じになるように右端の絵の○を赤く塗ってください。

〈時 間〉　①②各１分30秒

〈解 答〉　下図参照

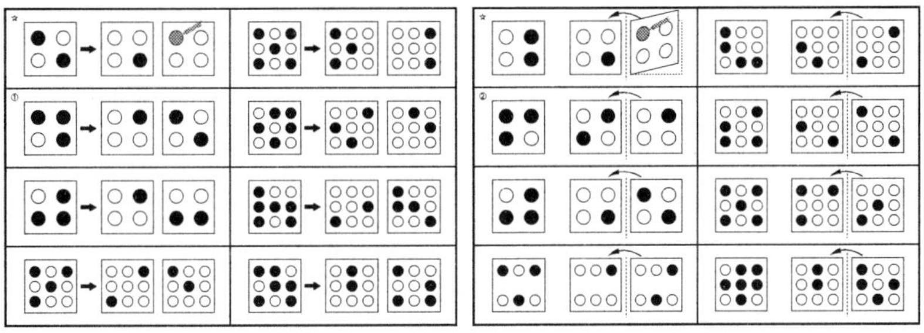

学習のポイント

①は重ね図形の基本的な問題です。まずは、２つの絵のうち、どちらの絵をどちらの絵に重ねるのかを指示を聞いて把握しておきましょう。そこで勘違いしてしまうと、混乱のもとです。できれば、問題ごとに重ねる絵と固定しておく絵を確認しておいてください。重ね図形問題のポイントは前述したように「（２つの図形が重なったら）変化・省略される部分を発見する」ことです。ここでは●に注目して問題を解いていくと効率がよいでしょう。２つの紙を重ねた時、どちらかに●があればその箇所は○があっても●になるからです。塗り忘れが怖いので、右上から塗り始め、左下で終わるといった自分なりのルールを決めておきましょう。②は前問と同じく、鏡図形と組み合わせた複合問題になっています。反転した時にどのような形になるかをイメージしてから、答えてください。

【おすすめ問題集】

★筑波大附属小学校図形攻略問題集★（書店では販売しておりません）

Ｊｒ・ウォッチャー35「重ね図形」

問題27　分野：図形（重ね図形・鏡図形）

〈準 備〉　クーピーペン（赤）

〈問 題〉　（問題27-１の絵を渡して）
①それぞれのマス目を太い真ん中の線で折ってそのまま右側に重ねた時、左側の○と●と◎がどこに入るか考えて、右の四角の中に印を書いてください。

（問題27-２の絵を渡して）
②それぞれのマス目を太い真ん中の線で折って右のマス目にぴったりと重ねた時、左側の黒い線はどのようになりますか。右側に書いてください。

〈時 間〉　①②各１分30秒

〈解 答〉　下図参照

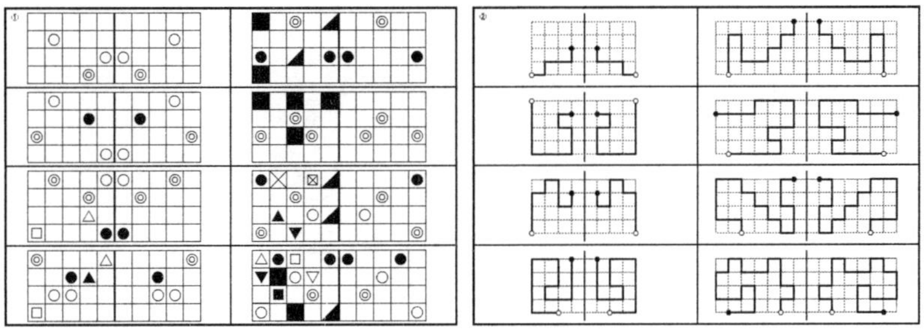

学習のポイント

連続しますが、重ね図形の問題です。記号の種類・数は多いですが、考え方は同じです。重ね図形問題を解く時のポイントに注意しながら、自分なりのルールで記号や線を記入していってください。当校入試の図形分野問題の最近の傾向として、①「重ね図形」と「鏡図形」の複合、といった複合問題が増えていること。②選択肢から選ぶのではなく、記号や線を記入する問題が増えていること。③内容がさらに複雑化していること。の３点が目に付きます。その意図にここでは触れませんが、こういった傾向に対応して合格レベルの結果を出すには、ある程度の準備が必要なってきます。過去問を解き、類題を解いて、量をこなすことはもちろん重要ですが、その時、その問題に対する考え方やポイントを学んでいるかを保護者の方はチェックするようにしてください。ハウツーや作業を覚えても応用力・思考力の育成には結びつかないからです。

【おすすめ問題集】

★筑波大附属小学校図形攻略問題集★（書店では販売しておりません）

Ｊｒ・ウォッチャー35「重ね図形」

問題28　分野：制作

〈準　備〉　紙皿（直径25cm程度）、厚紙（10×10cm程度）、折り紙、クレヨン、のり、ハサミ、ひも（40cm程度）、セロハンテープ、お手ふき
あらかじめ、問題28の見本を参考にして、上部に穴を２つ空けておく。
点線に沿って問題28の絵を切り離しておく。時計の針の部分はあらかじめ、形に沿って切り離しておく。

〈問　題〉　時計を作りましょう。
好きな色の折り紙を手でちぎって、お皿に好きな模様になるようにのりで貼りましょう。次に時計の長い針と短い針をクレヨンで黒く塗りましょう。塗ったら厚紙にのりで貼ってください。のりが乾くまで、数字の①から⑫を形に沿ってハサミで切りましょう。切った数字を見本の絵を見ながら、同じようにのりで紙皿に貼ってください。厚紙に貼った長い針と短い針をハサミで形通りに切り取ってください。切り取ったらあなたが朝起きる時間に合わせて針をのりで付けましょう。貼った後取れないように中心をセロハンテープでしっかり留めてください。ひもを２つの穴に通してチョウチョ結びをしてでき上がりです。

〈時　間〉　10分

〈解　答〉　省略

学習のポイント

当校の制作問題はモニターに映し出されるお手本を見てから作業を行う形です。手順はかなり複雑ですが、時間もあまりないので、１回の説明で手順を覚えた方が余裕ができます。手順を小さな声で復唱するなど、工夫をしてみましょう。当校の制作問題で行う作業は、「紙をちぎる・折る・貼る」「ひもをチョウチョ結びにする」「色を塗る」です。制作物によってはほかの作業が入ることもありますが、メインとなるのはこれらの基本的な作業です。道具の扱いを含めて、一通り練習しておけば充分対応できるでしょう。なお、こうした課題の観点は、指示の理解と時間内の実行です。でき上がりについては、年齢相応の器用さがない、と判断されそうなほどひどいものでなければ、それほど気にする必要はありません。

【おすすめ問題集】

★筑波大附属小学校工作攻略問題集★（書店では販売しておりません）
実践 ゆびさきトレーニング①②③
Ｊｒ・ウォッチャー23「切る・貼る・塗る」

問題29　分野：行動観察

〈準備〉　さまざまな色や形の積み木（50個程度）、テーブル、
用意した積み木が入る大きさの箱

〈問題〉　この問題の絵はありません。

（この問題は5人程度のグループになって行う。1度に2グループが課題に取り組む。あらかじめ、テーブルの上に用意した箱を置き、その中に積み木を入れておく）

①これからみなさんには、積み木を高く積み上げてビルを作ってもらいます。どんな積み木の積み方をしても構いません。グループみんなで相談して、どのように積むか決めてください。3分経った時に、高く積み上がっていた方の勝ちです。
私（出題者）が合図をしたら積み出して、「やめ」と言ったらすぐにやめてください。

（積み木の競争を行い、勝ち負けを判定する）

②では、今度は私が合図したら、積んだ積み木を崩して片付けてください。1分しかありませんので、急いで片付けてください。

③では、2回戦を行います。今度は、同じ色の積み木を上に積み重ねてはいけません。工夫して高いビルを作りましょう。では、始めてください。

（1回目と同様にゲームを行い、勝ち負けを判定し、積み木を片付けさせる）

〈時間〉　適宜

〈解答〉　省略

学習のポイント

当校入試は運動→行動観察という順で行われますが、この2つは1つの行動観察の課題と考えてください。ですから、運動を終えて移動する時、行動観察の最初に5人のグループに別れる時も観察の対象です。保護者の方は、「指示を理解して守る」「協調性や積極性を発揮して行動する」といった基本は、常に評価されているという認識をお子さまに持たせるようにしてください。これは、神経質に「どのように観られているか」をお子さまに考えせるという意味ではありません。適度な緊張感を持つのはよいことですが、緊張しすぎると能力が発揮できないものです。当校の行動観察は、「指示が理解できない・守れない」「著しく協調性がない」といった当校が入学されると困る児童を発見するためのもので、児童の能力や情操を個別に評価するためのものではありません。悪目立ちしないようにふだん通りの行動をすればよいのです。

【おすすめ問題集】

Ｊｒ・ウォッチャー29「行動観察」、新口頭試問・個別テスト問題集

問題30　分野：お話の記憶

〈準備〉　クーピーペン（赤・青・緑・黒・黄）

〈問題〉　これからするお話をよく聞いて、後の質問に答えてください。

クマくんは、お友だちのウサギさん、リスさん、キツネさんといっしょに、キャンプに行く約束をしました。キャンプ場まではバスで行くので、待ち合わせ場所はバス停の前にしました。キャンプに行く日、クマくんは早起きをして、荷物を持って出かけました。バス停に着くと、ウサギさんとリスさんが先に来ていました。「おはよう、ウサギさん。キツネさんはどうしたの？」「おはよう。まだ来てないよ」クマくんたちが話していると、キツネさんがやってきました。「ごめんね、遅くなっちゃった」「いいよ、僕もさっき来たばかりだよ」クマくんはキツネさんに向かって、にっこりと笑いました。しばらくするとバスがやってきました。いよいよ、キャンプ場に出発です。
クマくんたちは、バスに乗って森にやってきました。ここからキャンプ場までは、道路がないので、歩かなくてはいけません。クマくんたちは、荷物を背負って、森の中を歩き始めました。森の中では、たくさんのセミが鳴いています。「たくさんいるね。そうだ、何匹か捕まえていこう」キツネくんはそう言って、荷物の中から虫取り網を取り出し、セミを捕まえ始めました。キツネくんはあっという間にセミを４匹捕まえて、虫カゴの中に入れました。それから先に進むと、お友だちのタヌキくんが家族といっしょにいるのを見つけました。「こんにちは、タヌキくん」とクマくんがあいさつをすると、タヌキくんはびっくりしました。「こんにちは。クマくんもキャンプに来てたんだ」「そうだよ。キャンプ場までいっしょに行こう」
タヌキくんといっしょに森の中を進むと、キャンプ場に着きました。キャンプ場には青いテントが２つ、赤いテントが３つありました。クマくんたちは、そのテントから少し離れたところに、自分たちの黄色いテントを張りました。それから、それぞれ持ってきた材料を使って、ごはんを作ることにしました。クマくんはカボチャを、ウサギさんは肉を、リスさんはタマネギを、キツネさんはニンジンを切って、鍋に入れました。そのほかにもさまざまなものを入れて、しばらく煮込むと、おいしい夏野菜カレーの完成です。みんなでいっしょに作って食べたカレーは、とてもおいしくできました。

(問題30の絵を渡す)
①クマくんたちが森の中を歩いている途中に出会った動物は誰ですか。選んで、赤で○をつけてください。
②お話の季節と同じものを選んで、緑で○をつけてください。
③キツネくんはセミを何匹捕まえましたか。その数だけ黒で○を書いてください。
④お話の中に出てこなかったものを選んで、青で○をつけてください。
⑤お話に出てきたものを選んで、黒で○をつけてください。
⑥クマくんたちがキャンプ場に着いた時、赤色のテントはいくつありましたか。その数だけ、○を赤で塗ってください。
⑦クマくんたちのテントは何色ですか。その色で○を塗ってください。

〈時間〉　各15秒

〈解答〉　①右端（タヌキ）　②左端（海水浴・夏）　③○：４
④左から２番目（ナス）　⑤右から２番目（バス）　⑥○：３　⑦○：黄色

学習のポイント

当校のお話の記憶の問題は、長文かつ問題数も多いので、内容を効率よく記憶しないとスムーズに解答できません。だからと言って、展開だけを追って話を聞いているとお話に登場するものの色や形、個数など内容の細かい点を聞き逃してしまいます。効率よく対応するには、本問のような当校の出題を意識した類題を解きながら、「誰が」「どのような」「何を」「どうした」を１つのシーンとしてイメージすることです。この問題で言えば、「クマくん」「黄色いテント」「赤色のテントが周りに３つ」とバラバラに覚えるよりは「クマくんが黄色いテントを建ている。その周りに赤色のテントが３つある」という光景をイメージした方が記憶しやすいということになります。保護者の方にとっては、こうしたお話の聞き方は当然と思われるかもしれませんが、慣れていないお子さまは、ストーリーを追うので精一杯、というのが普通かもしれません。当校の出題パターン慣れつつ、バラバラに覚えるのではなく、イメージとしてお話の出来事を効率よく覚えていきましょう。

【おすすめ問題集】

★筑波大附属小学校　新・お話の記憶攻略問題集★（書店では販売しておりません）
1話5分の読み聞かせお話集①・②、お話の記憶 初級編・中級編・上級編、
Ｊｒ・ウォッチャー19「お話の記憶」、34「季節」

筑波大学附属小学校　専用注文書

年　　月　　日

合格のための問題集ベスト・セレクション

＊入試頻出分野ベスト３

1st お話の記憶	2nd 図　形	3rd 制　作
集中力　聞く力　知識	観察力　思考力	観察力　集中力　巧緻性

お話の記憶は、お話が長く、設問も多いことが特徴です。図形は、難しい上に問題数も多いので、時間内に解き終えるための正確さとスピードが求められます。量と質を両立させる学習をめざしましょう。

分野	書　名	価格(税抜)	注文	分野	書　名	価格(税抜)	注文
総合	筑波大学附属小学校 ステップアップ問題集	2,000円	冊	図形	Ｊr・ウォッチャー 6「系列」	1,500円	冊
記憶	筑波大学附属小学校 新 お話の記憶攻略問題集	2,500円	冊	図形	Ｊr・ウォッチャー 8「対称」	1,500円	冊
図形	筑波大学附属小学校 図形攻略問題集①	2,500円	冊	図形	Ｊr・ウォッチャー 9「合成」	1,500円	冊
図形	筑波大学附属小学校 図形攻略問題集②	2,500円	冊	図形	Ｊr・ウォッチャー 35「重ね図形」	1,500円	冊
図形	筑波大学附属小学校 図形分野別問題集①～⑤	2,500円	各　冊	図形	Ｊr・ウォッチャー 46「回転図形」	1,500円	冊
数量	筑波大学附属小学校 数量分野別問題集①	2,500円	冊	図形	Ｊr・ウォッチャー 54「図形の構成」	1,500円	冊
巧緻性	筑波大学附属小学校 工作攻略問題集	2,500円	冊	推理	Ｊr・ウォッチャー 15「比較」	1,500円	冊
総合	新 筑波大学附属小学校 集中特訓問題集	2,500円	冊	数量	Ｊr・ウォッチャー 41「数の構成」	1,500円	冊
総合	筑波大学附属小学校 想定模擬テスト問題集	2,500円	冊		お話の記憶問題集 上級編	2,500円	冊
	※上記商品の中には、書店では販売していないものもございます。オンラインショップ、またはお電話・FAX でお申込ください。				実践 ゆびさきトレーニング①②③	2,600円	冊
					新 口頭試問・個別テスト問題集	2,600円	冊
					小学校受験で知っておくべき 125 のこと	2,600円	冊
					新 小学校受験の入試面接Ｑ＆Ａ	2,600円	冊
					新 願書・アンケート文例集 500	2,500円	冊

合計	冊	円

(フリガナ) 氏　名	電　話 ＦＡＸ E-mail
住 所　〒　　　－	以前にご注文されたことはございますか。 有　・　無

★お近くの書店、または記載の電話・FAX・ホームページにてご注文をお受けしております。
　電話：03-5261-8951　FAX：03-5261-8953　代金は書籍合計金額＋送料がかかります。
　※なお、落丁・乱丁以外の理由による商品の返品・交換には応じかねます。

★ご記入頂いた個人に関する情報は、当社にて厳重に管理致します。なお、ご購入の商品発送の他に、当社発行の書籍案内、書籍に関する調査に使用させて頂く場合がございますので、予めご了承ください。

日本学習図書株式会社
http://www.nichigaku.jp

問題 1

①

②

③

④

⑤

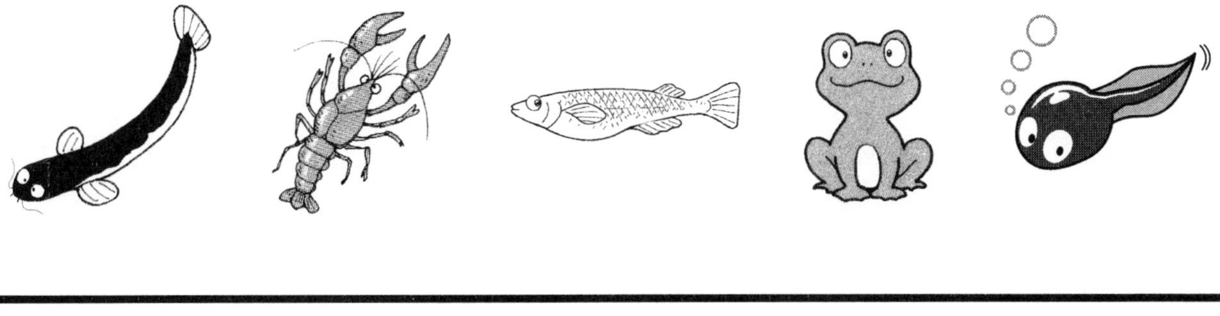

日本学習図書株式会社

問題 2

①

②

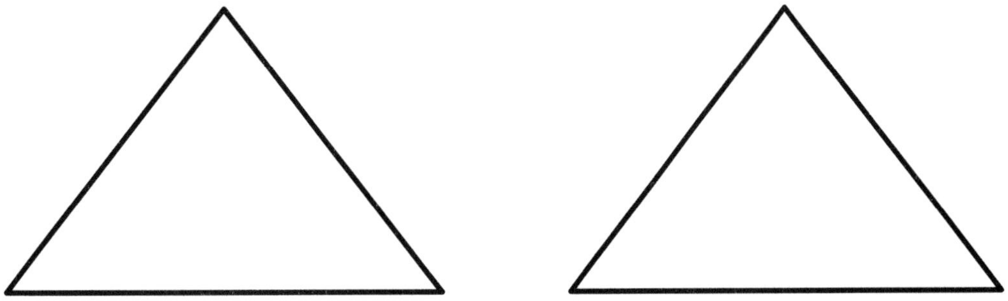

③

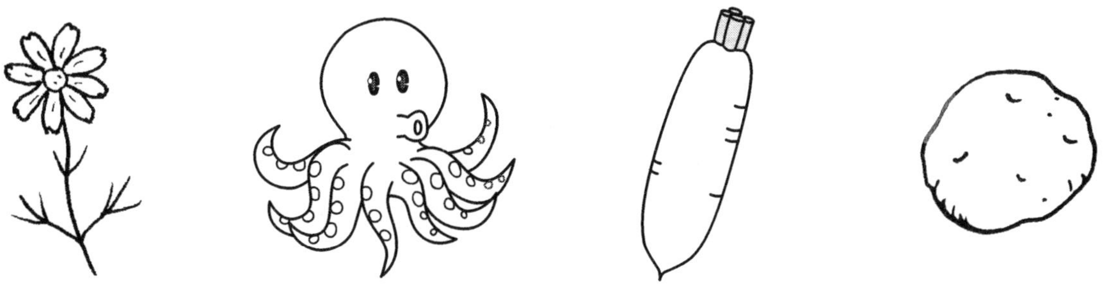

④

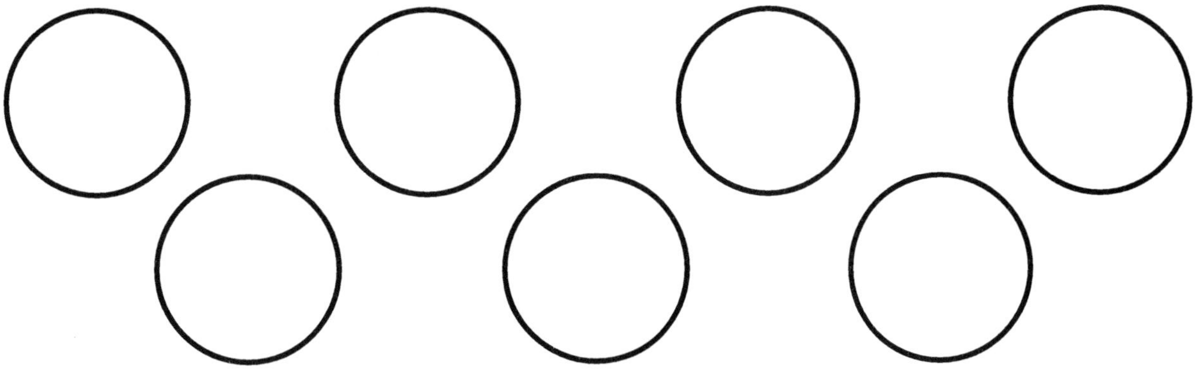

⑤

日本学習図書株式会社

問題3

①

②

③

④

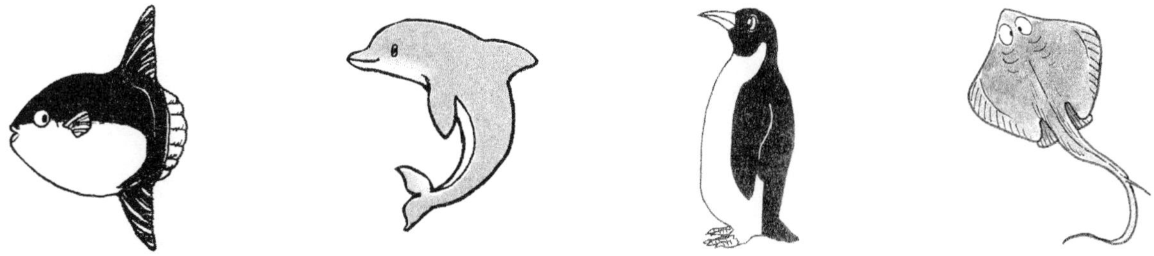

⑤

問題4

①

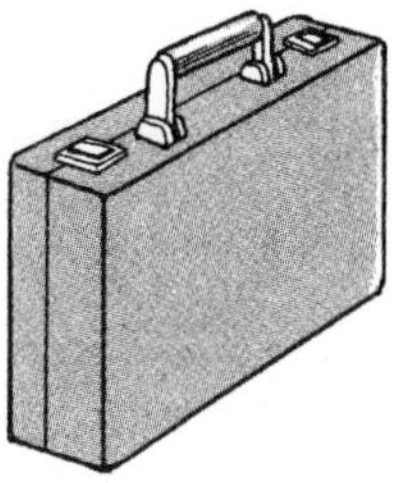

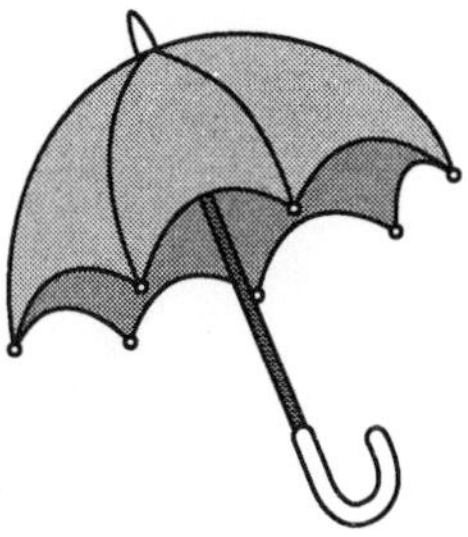

②

③

④

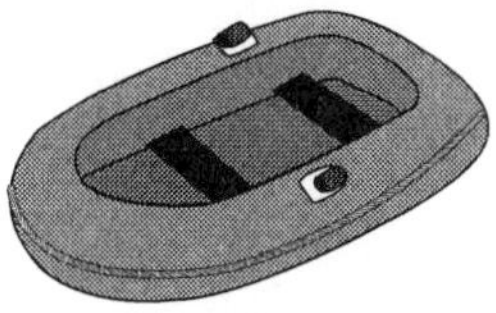
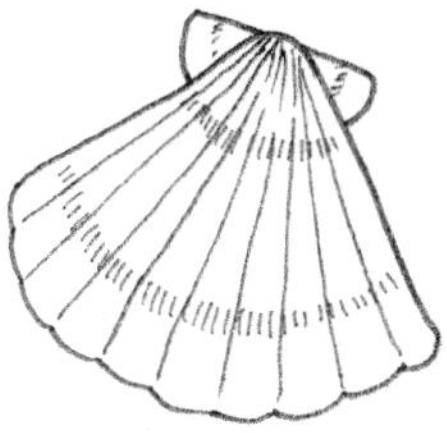

⑤

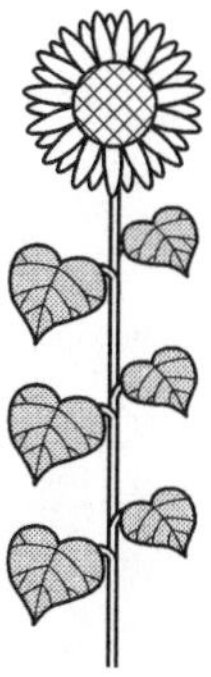

日本学習図書株式会社

問題 5 - 1

①

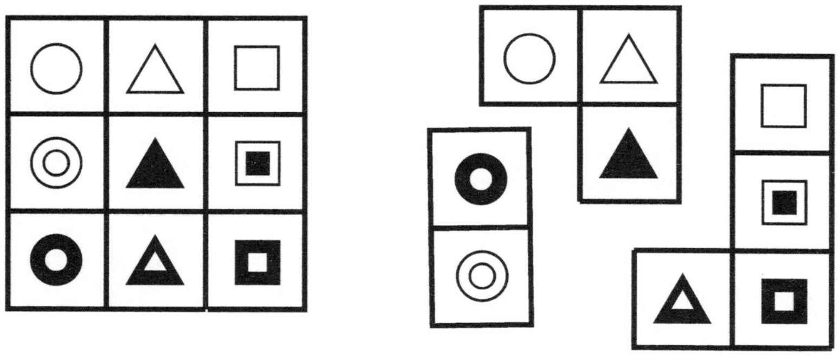

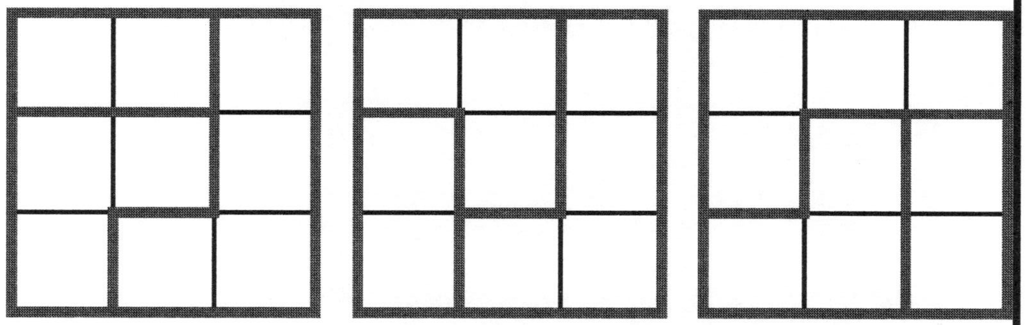

②

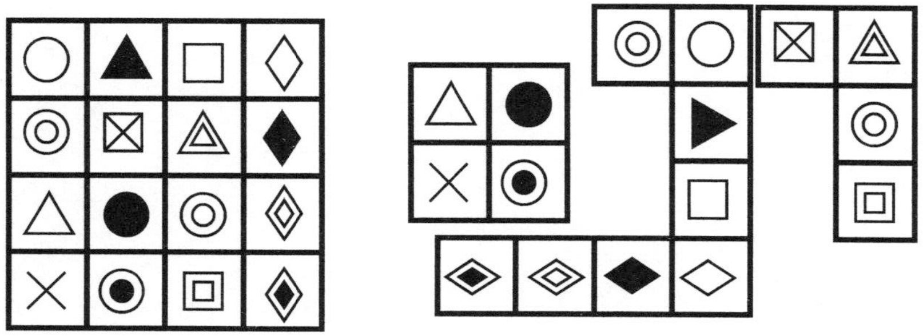

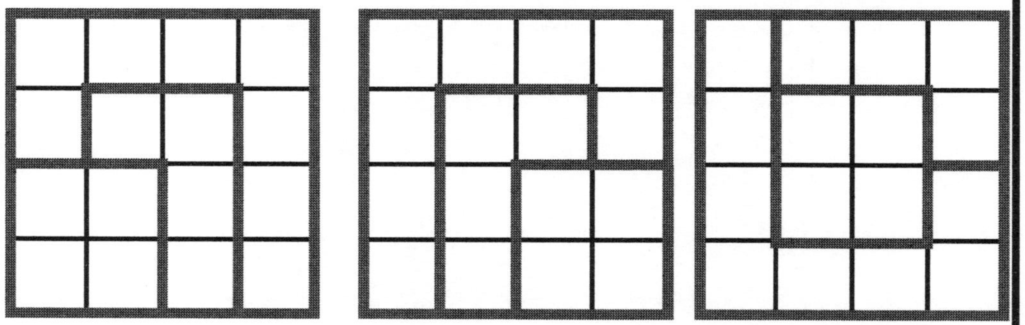

③

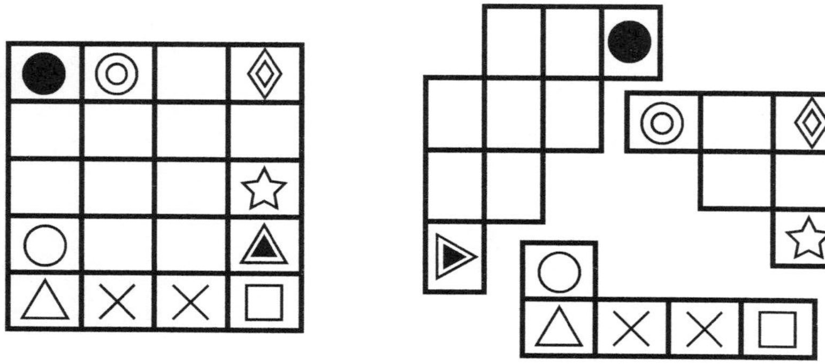

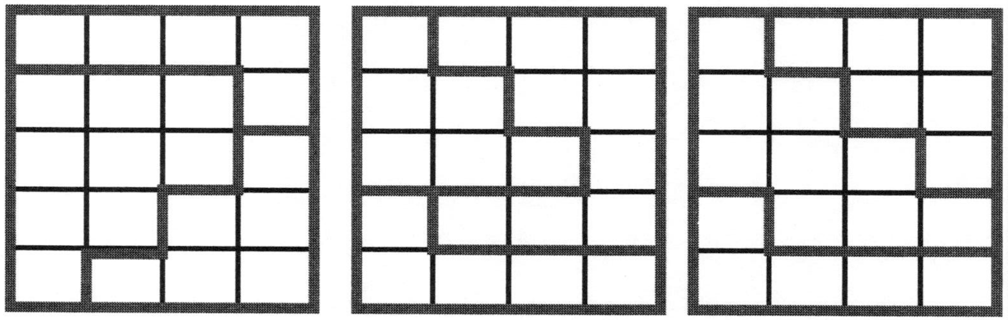

問題5－2

④

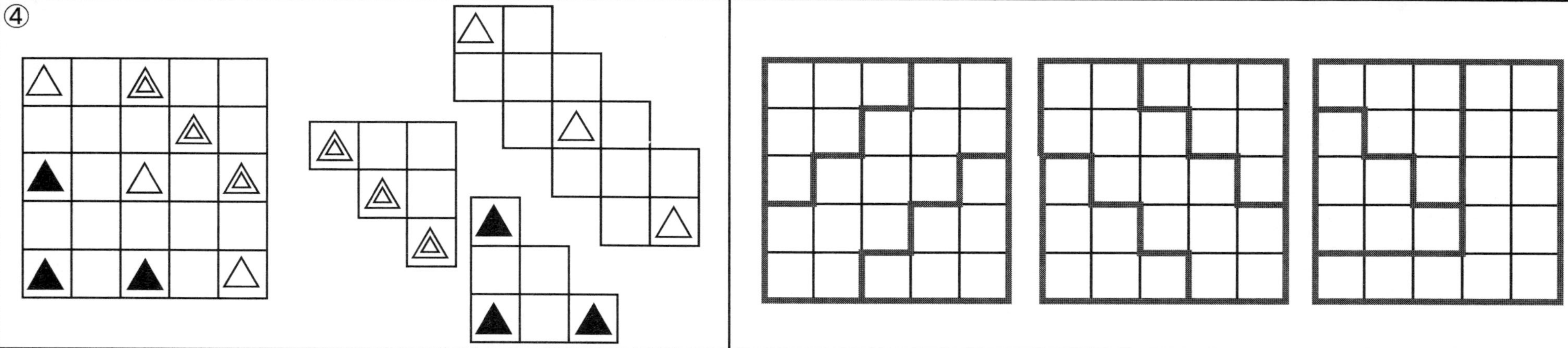

⑤

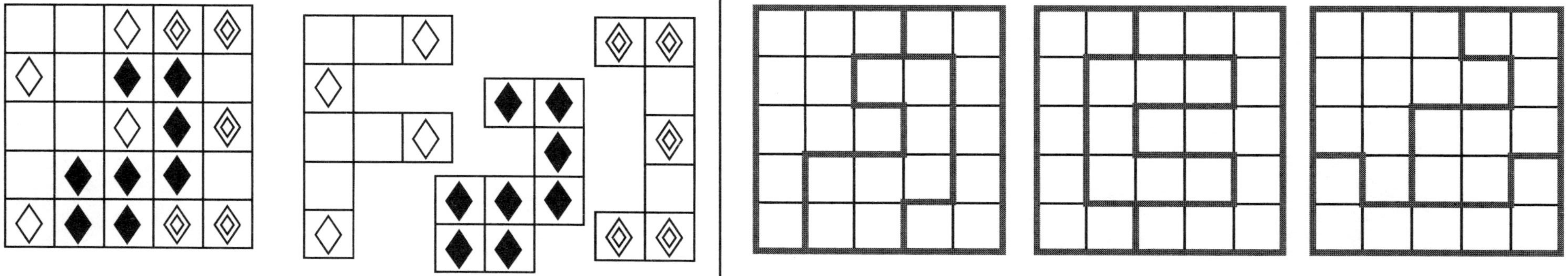

⑥

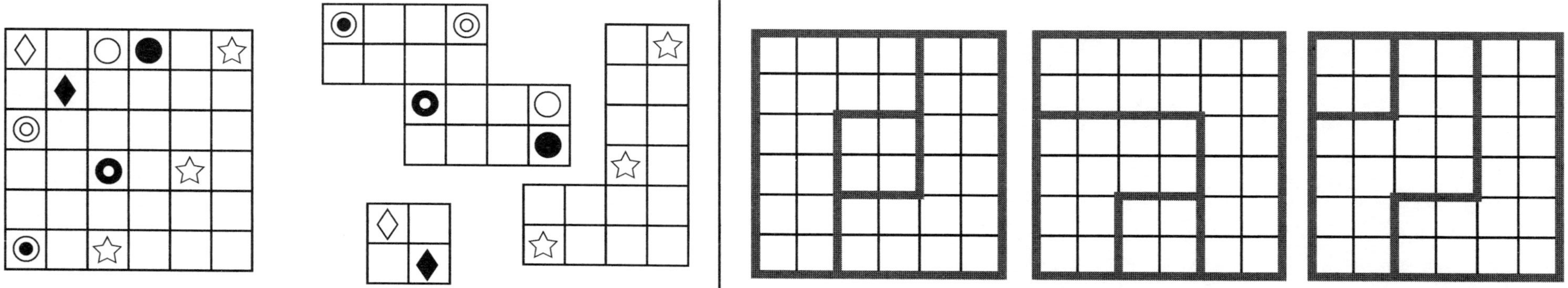

③

④

⑤

日本学習図書株式会社

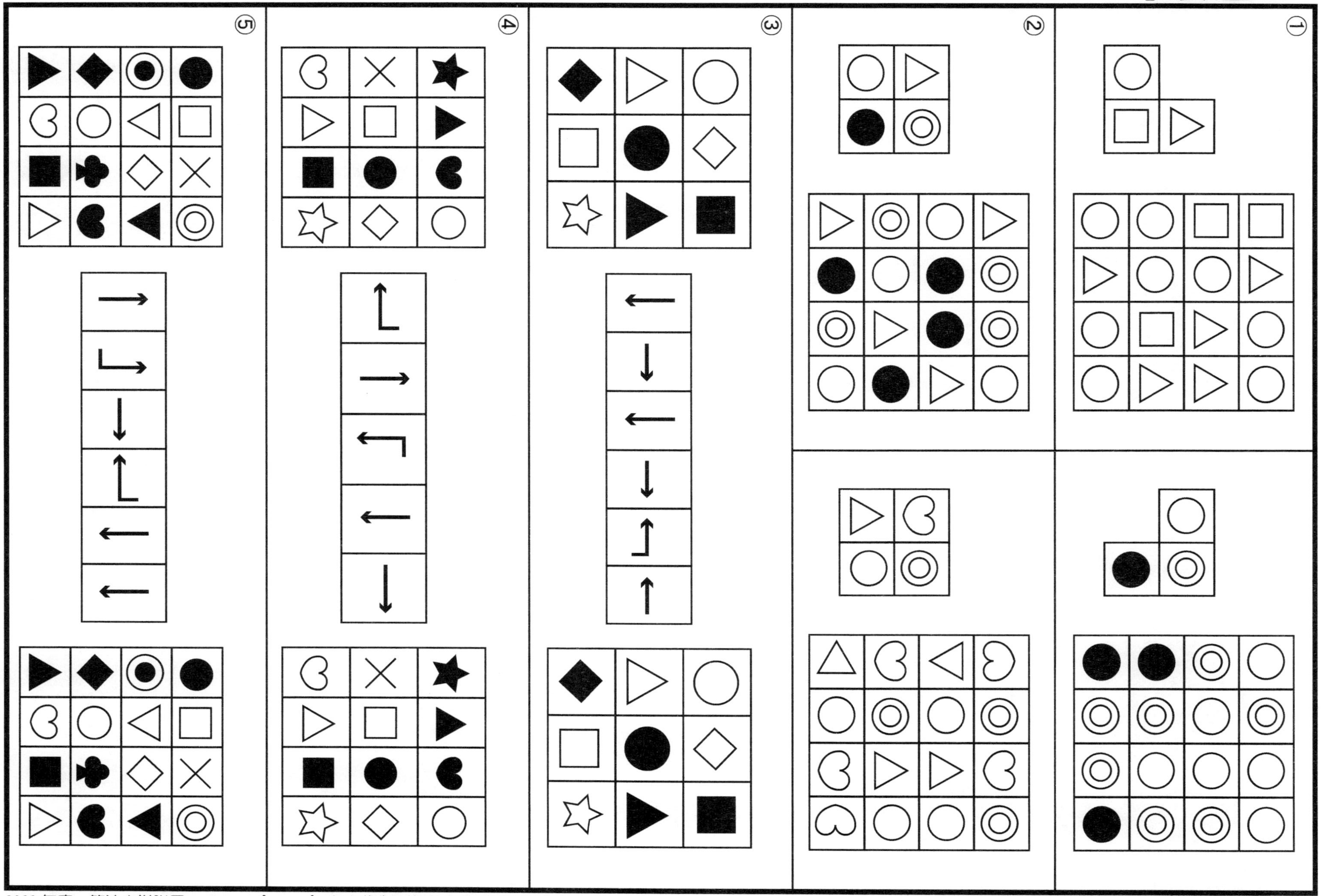

2022 年度　筑波大学附属　ステップアップ　無断複製/転載を禁ずる　日本学習図書株式会社

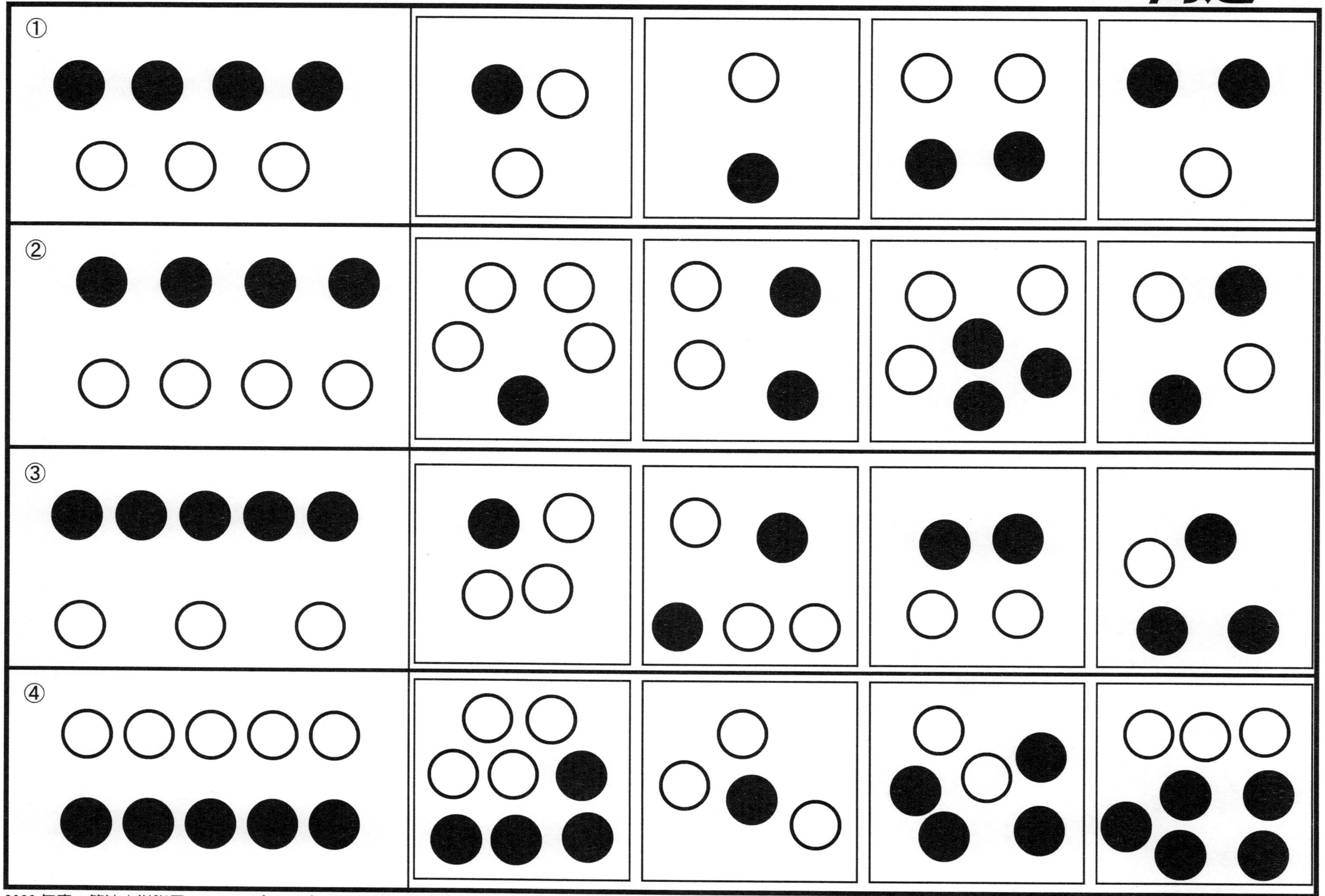

問題8

【星の子】

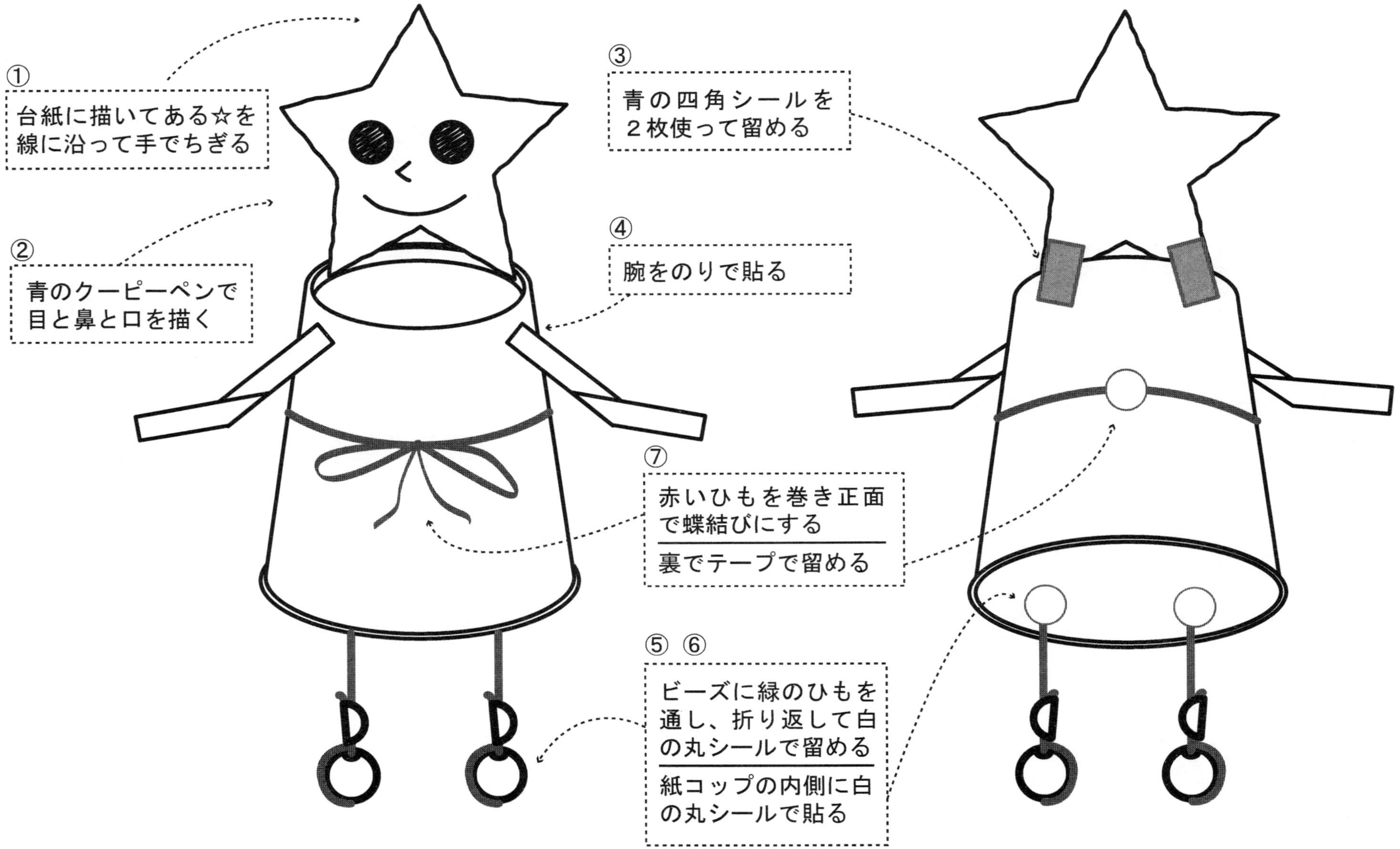

①
台紙に描いてある☆を
線に沿って手でちぎる
②
青のクーピーペンで
目と鼻と口を描く
③
青の四角シールを
２枚使って留める
④
腕をのりで貼る
⑦
赤いひもを巻き正面
で蝶結びにする
裏でテープで留める
⑤ ⑥
ビーズに緑のひもを
通し、折り返して白
の丸シールで留める
紙コップの内側に白
の丸シールで貼る

問題9

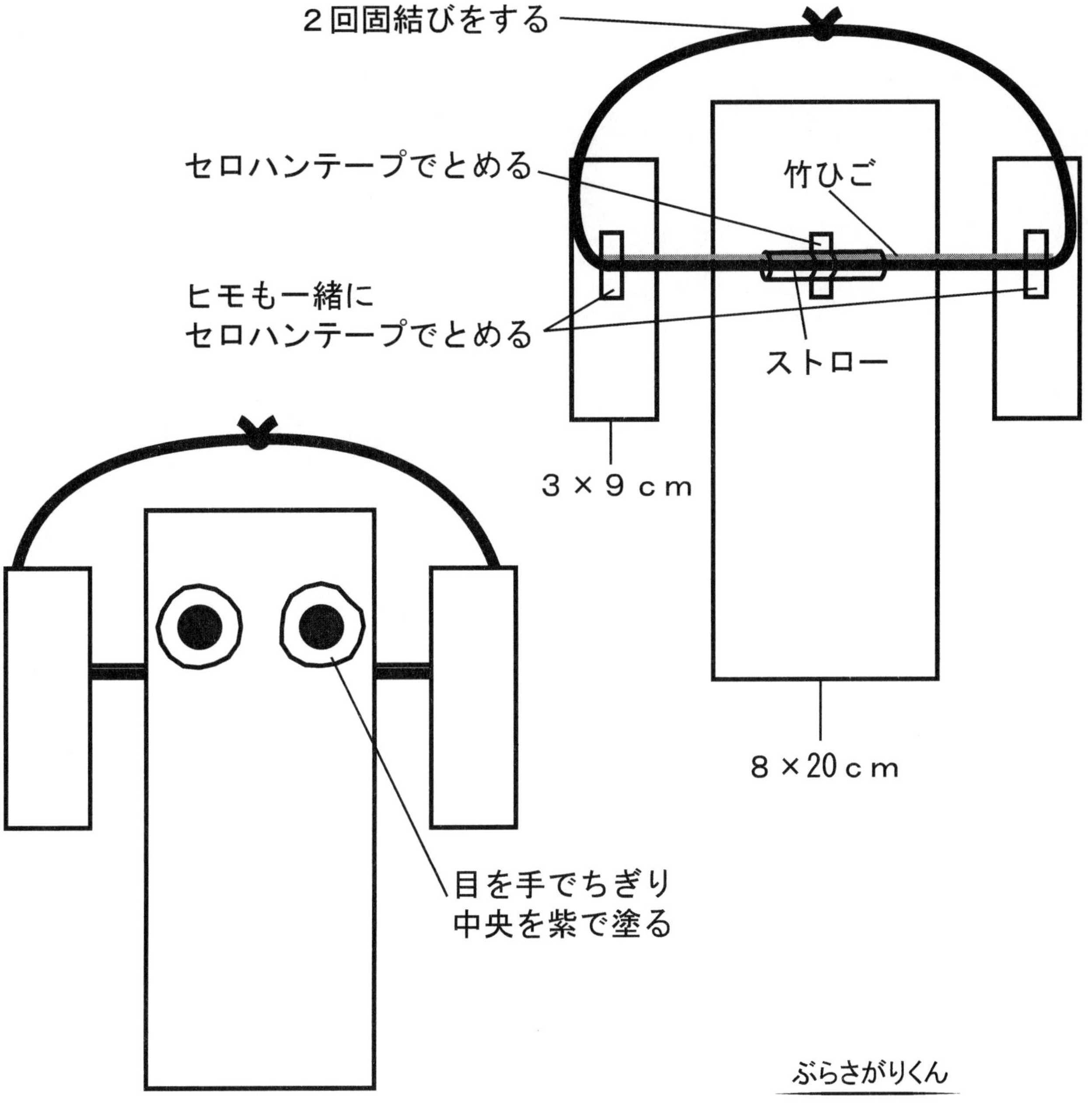
2回固結びをする
セロハンテープでとめる
竹ひご
ヒモも一緒に
セロハンテープでとめる
ストロー
3×9cm
8×20cm
目を手でちぎり
中央を紫で塗る
ぶらさがりくん

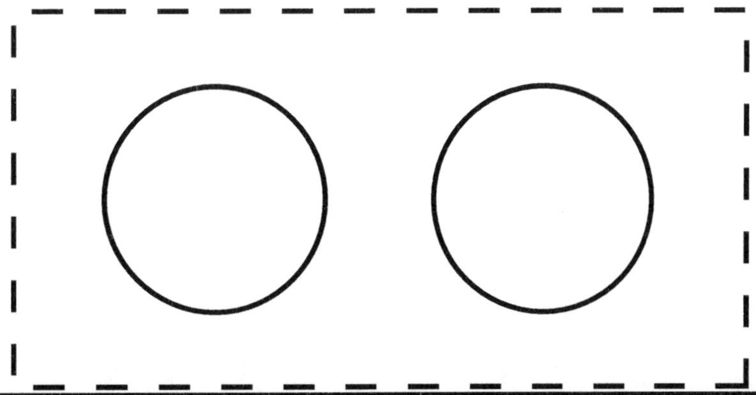

問題10

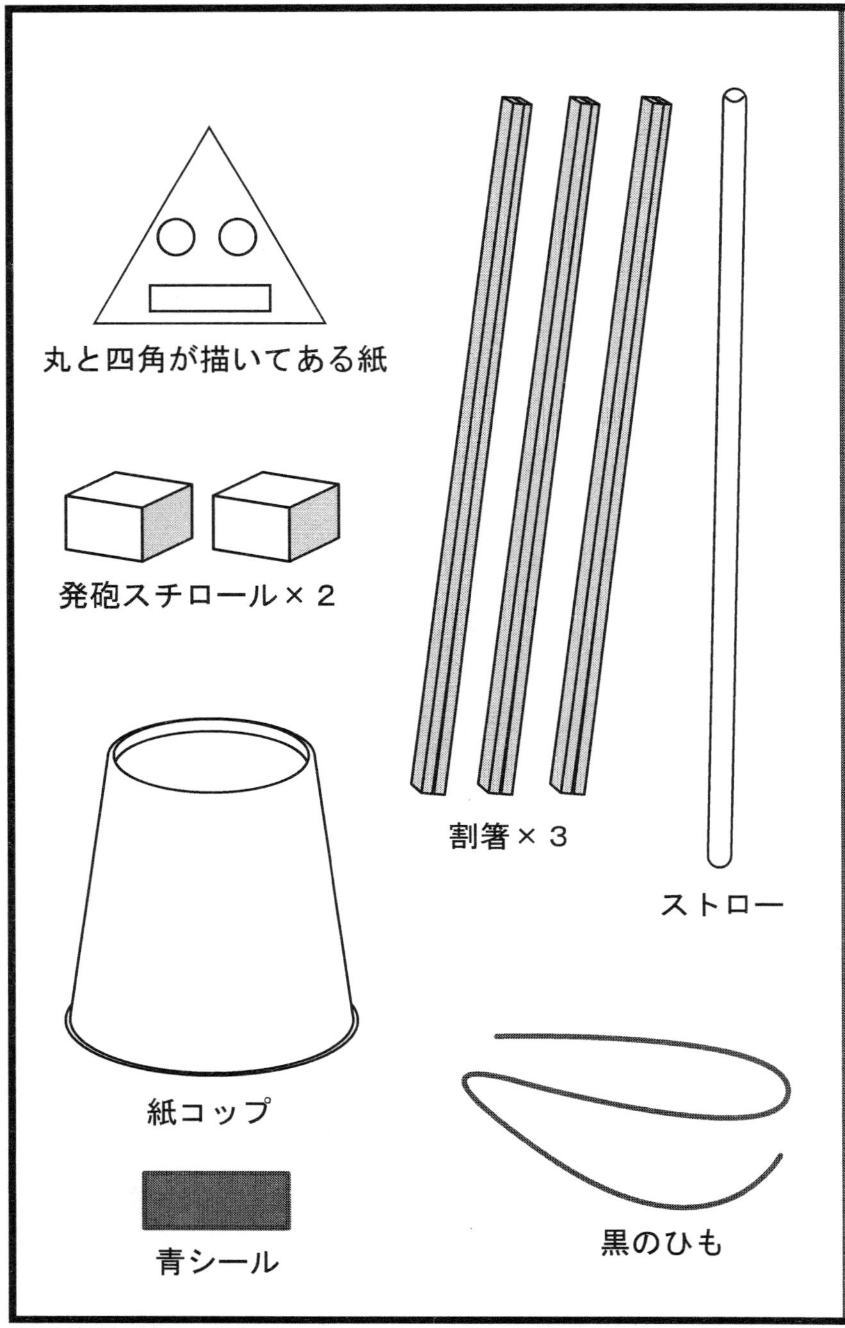
丸と四角が描いてある紙
発砲スチロール× 2
割箸× 3
ストロー
紙コップ
青シール
黒のひも

【荷物運びロボットくん】

問題11

①

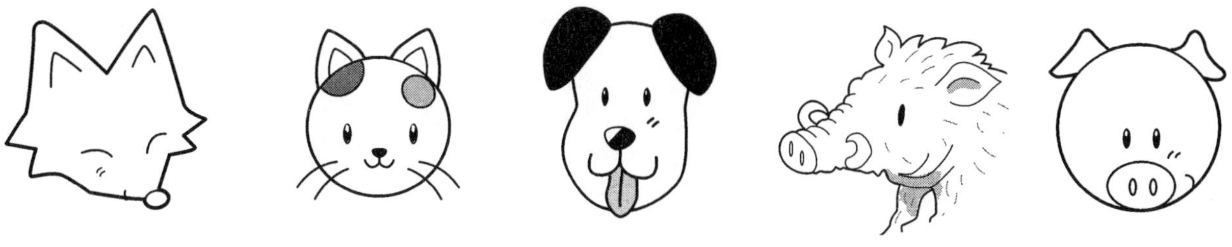

②

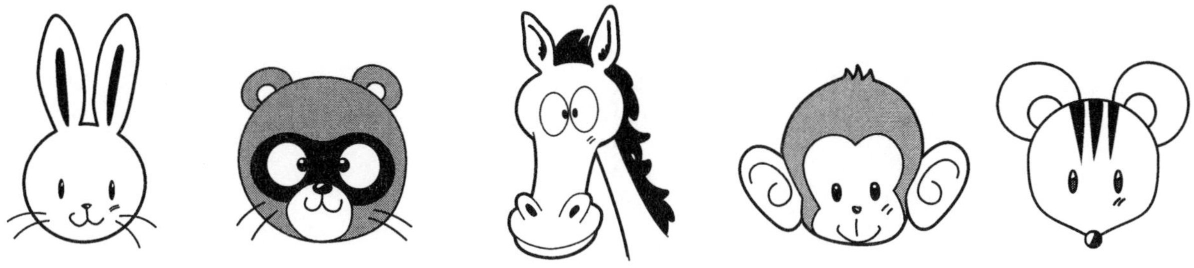

③

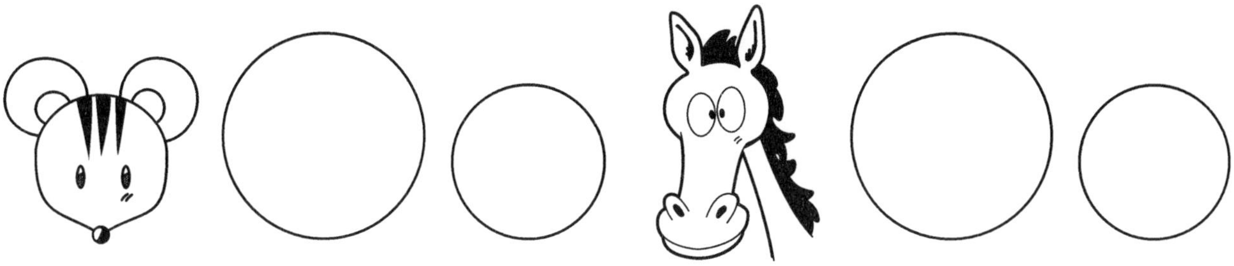

④

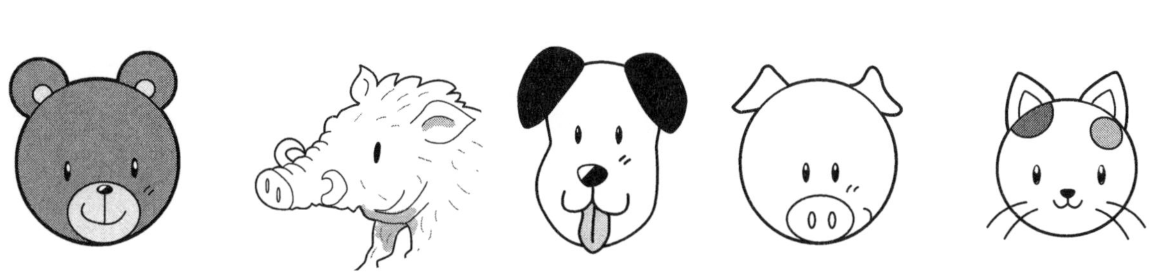

⑤

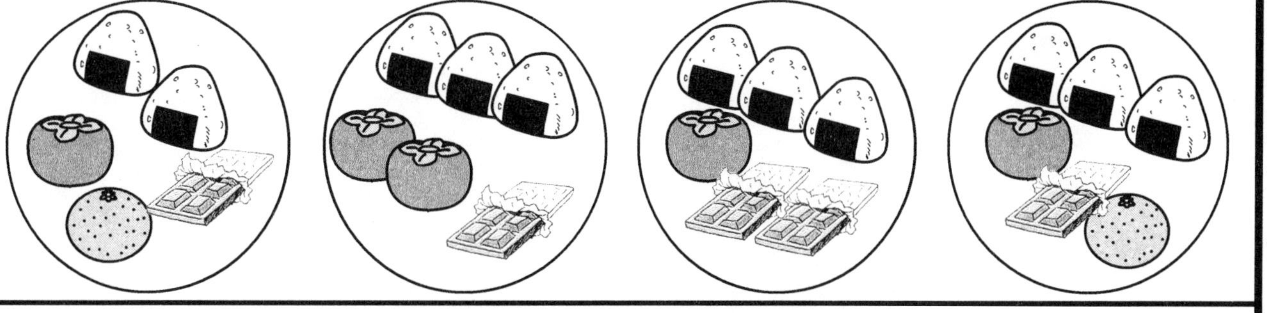

⑥

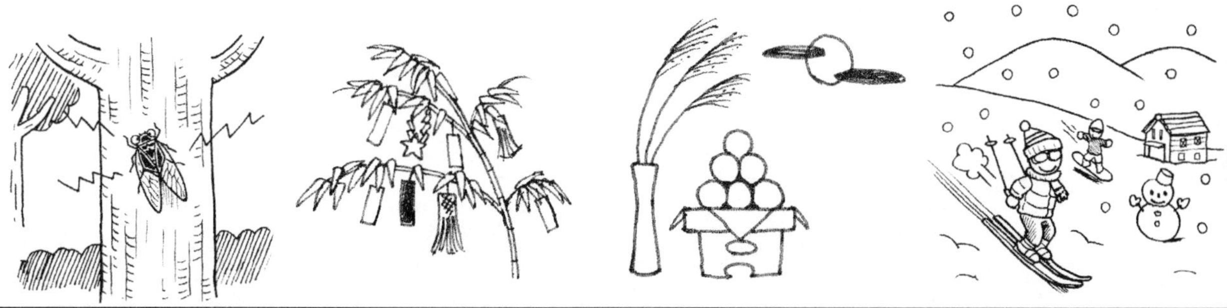

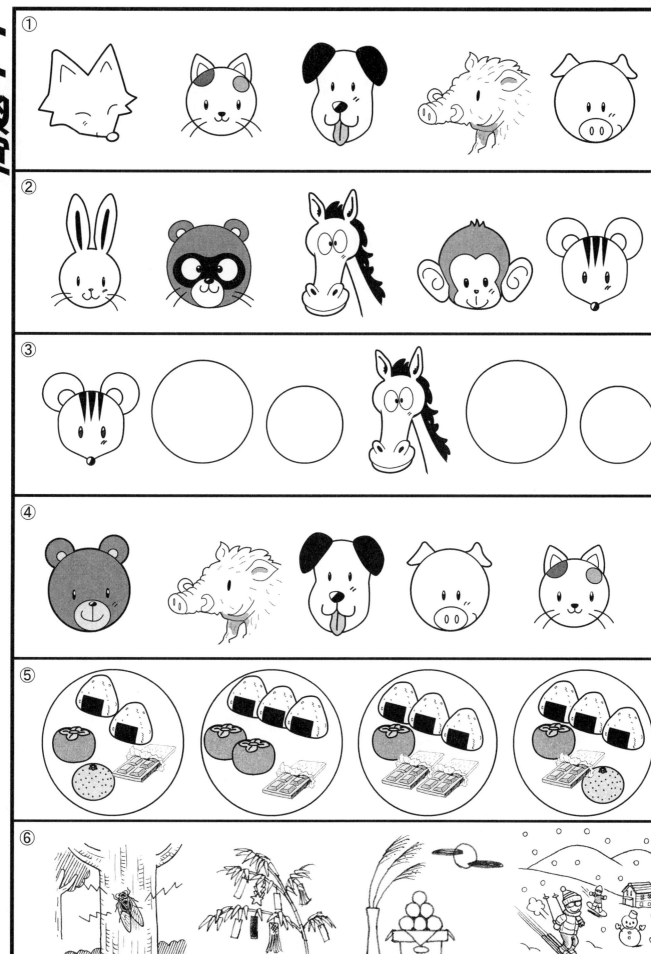

問題12

①

②

③

④

⑤

⑥

問題13

①

②

③

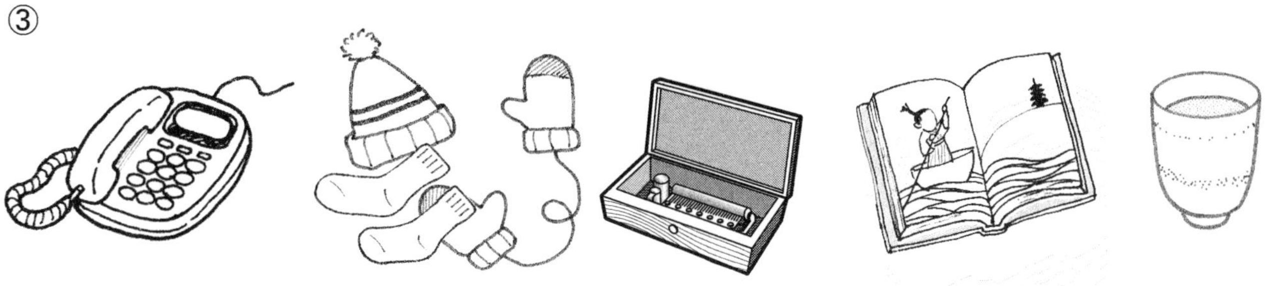

④

⑤

⑥

日本学習図書株式会社

問題１４

日本学習図書株式会社

2022 年度　筑波大学附属　ステップアップ　無断複製/転載を禁ずる

③

④

⑤

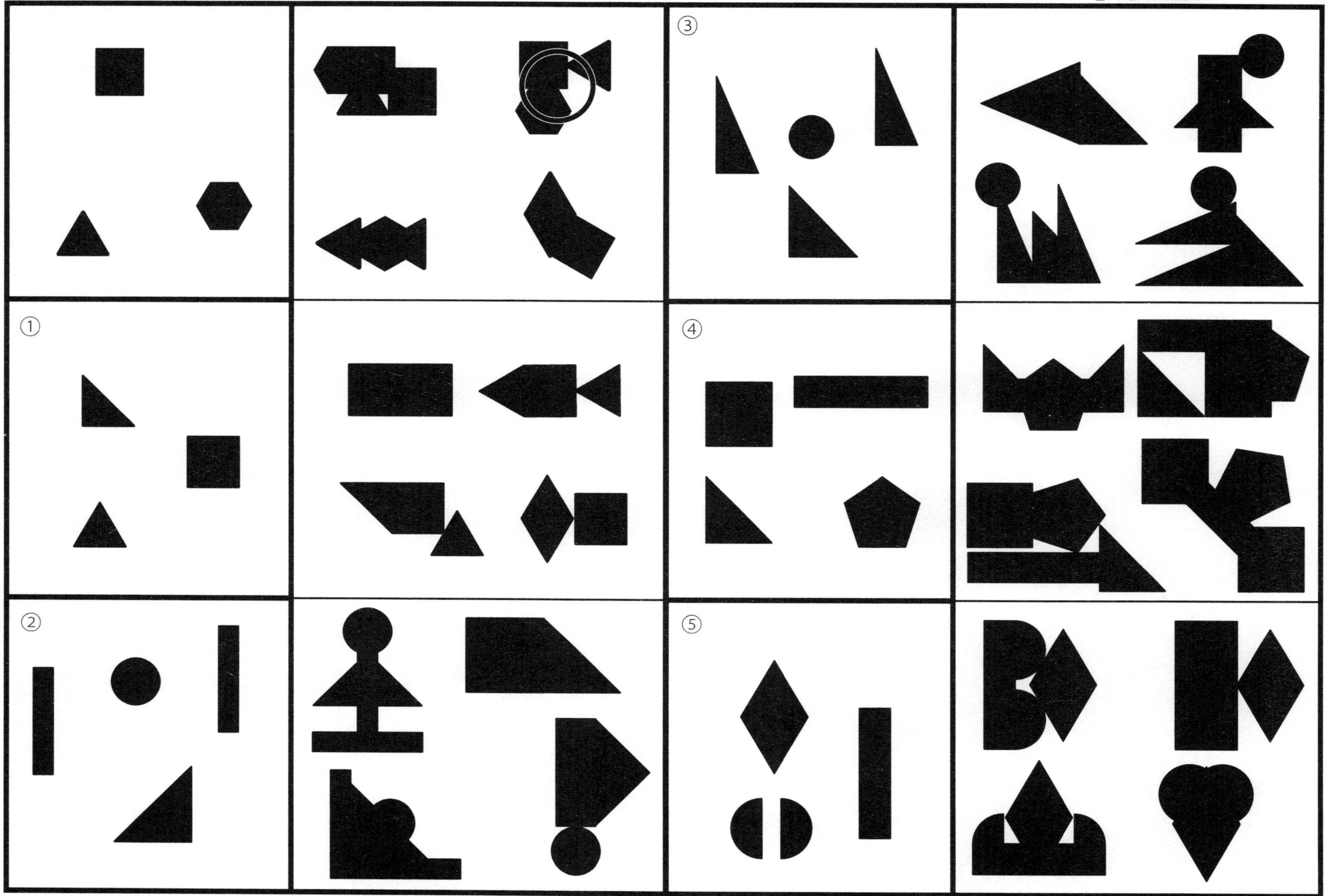

⑤

①

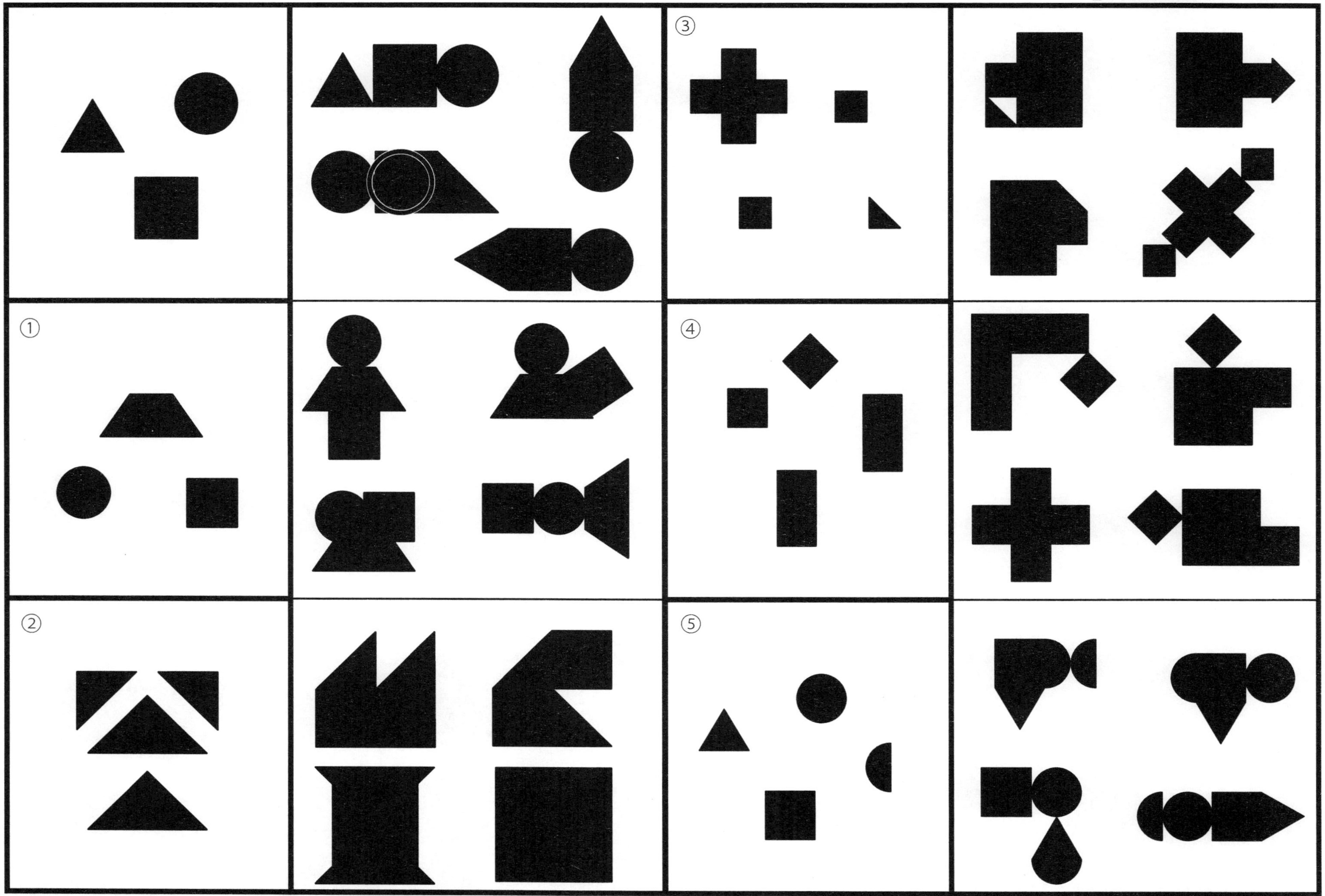

2022 年度　筑波大学附属　ステップアップ　無断複製／転載を禁ずる　日本学習図書株式会社

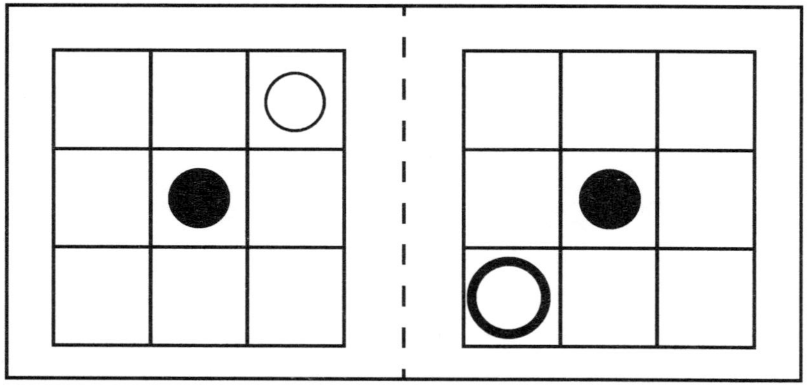

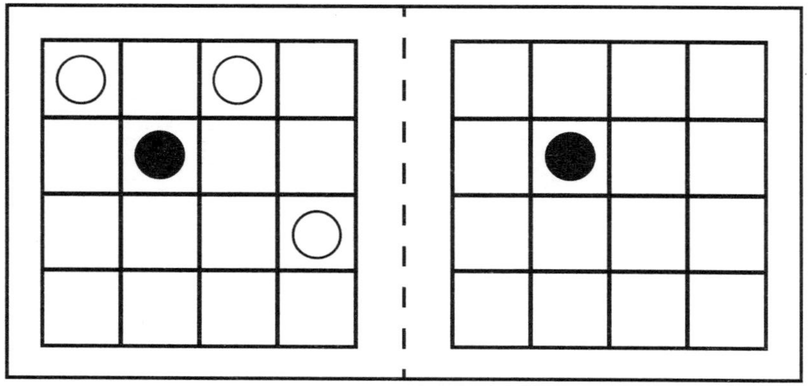

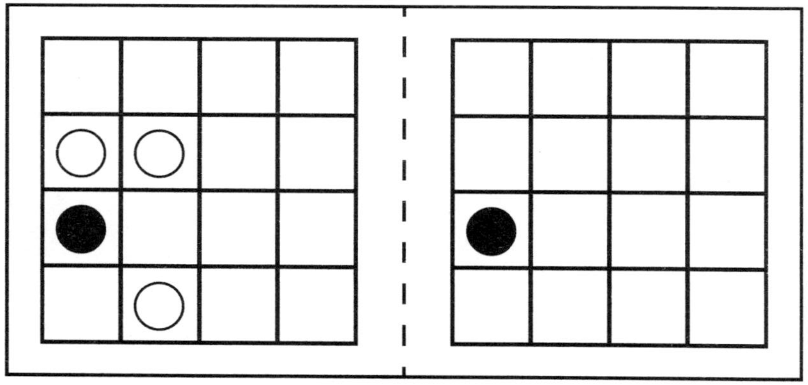

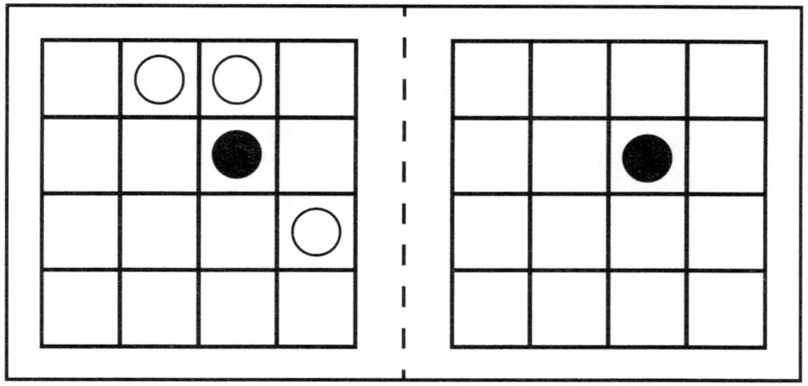

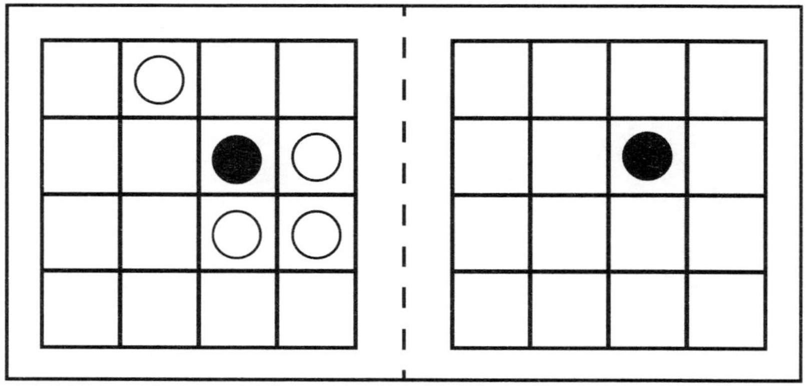

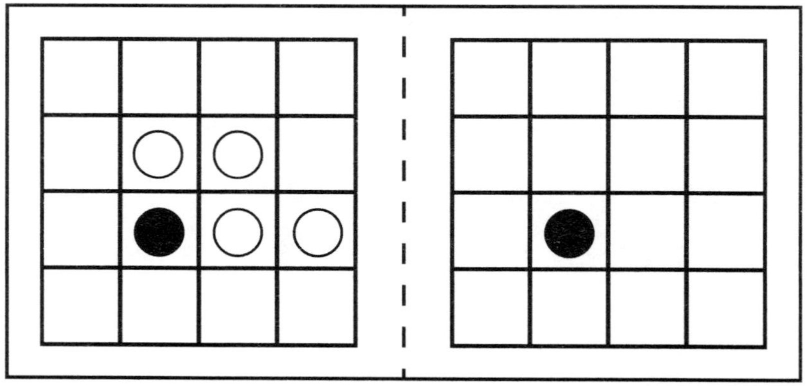

問題１７

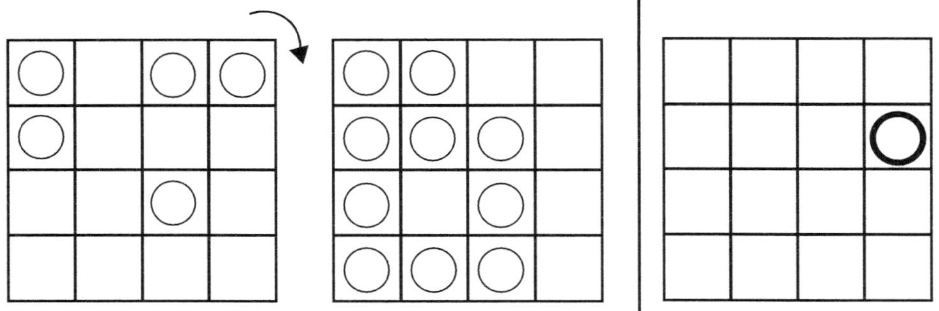

③

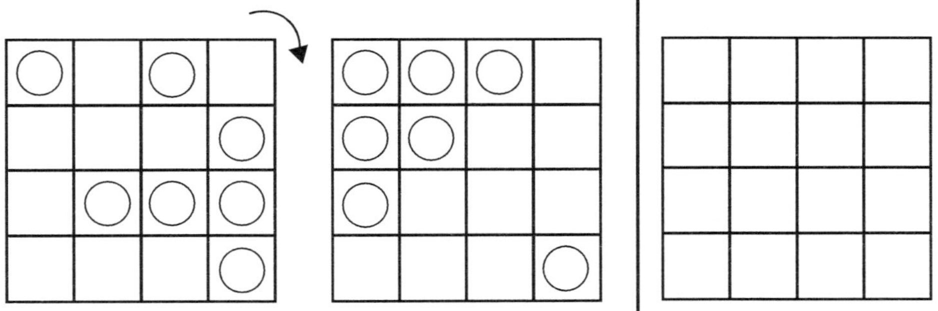

①

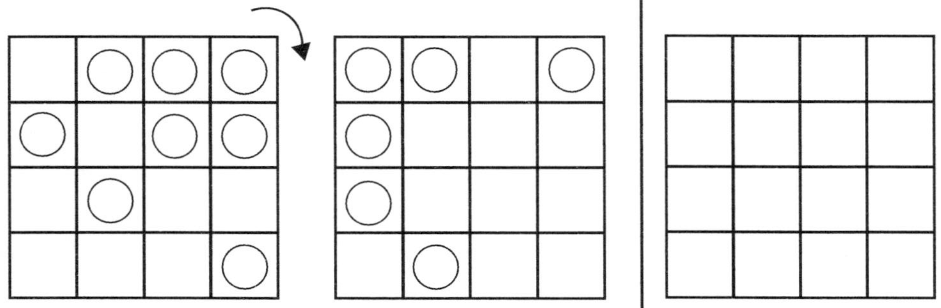

④

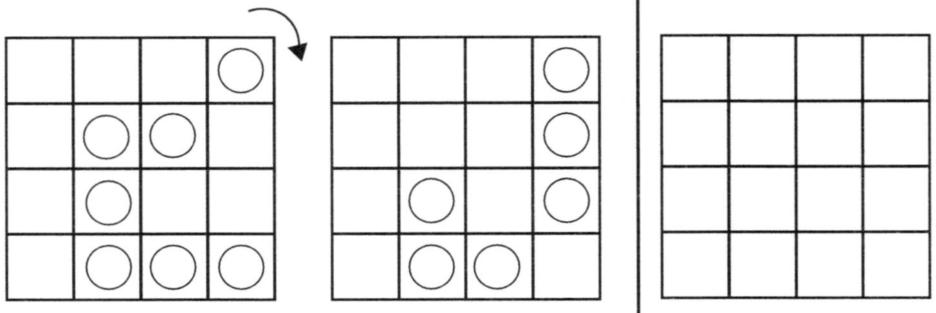

②

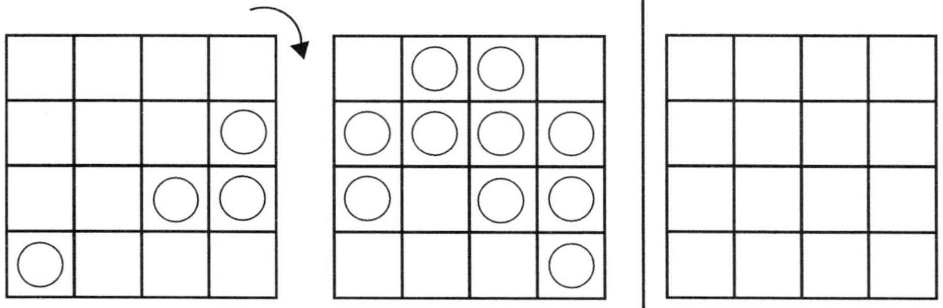

⑤

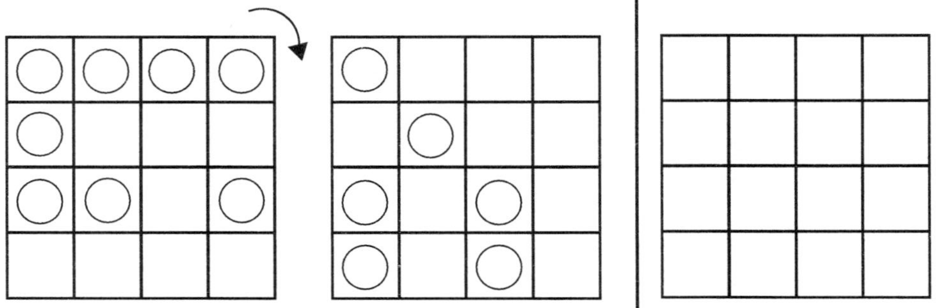

問題１８

①
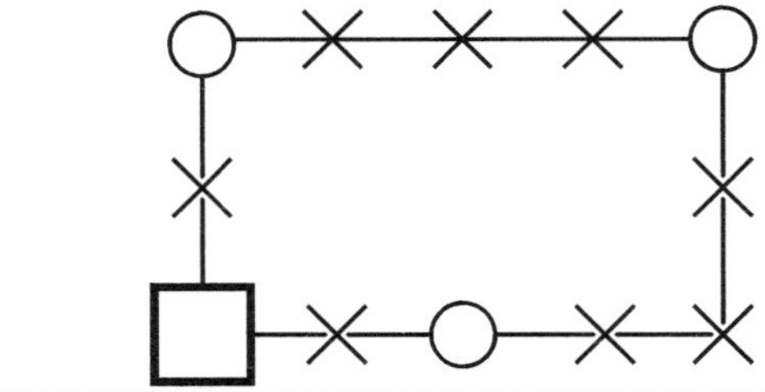

②
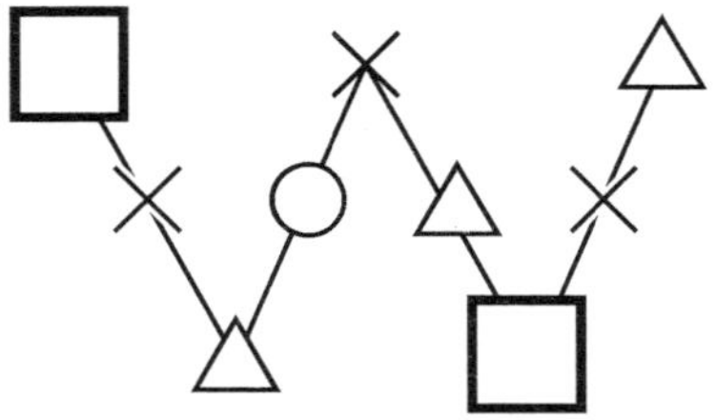

③
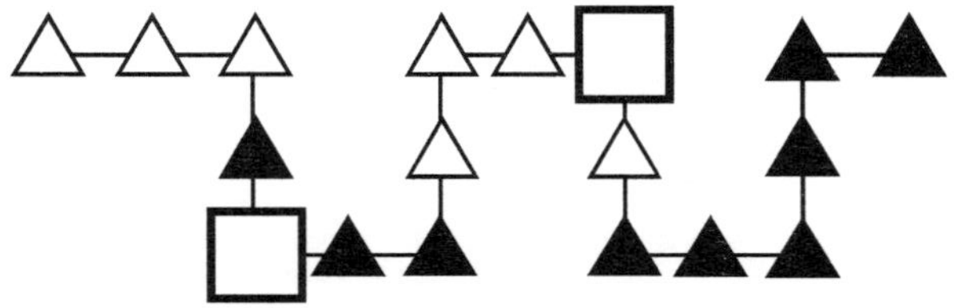

④
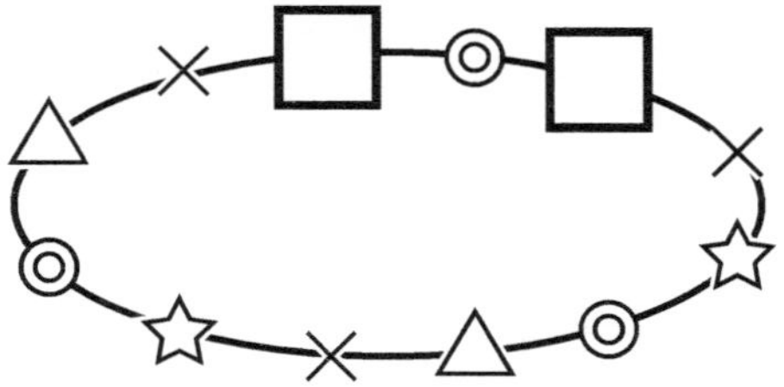

⑤
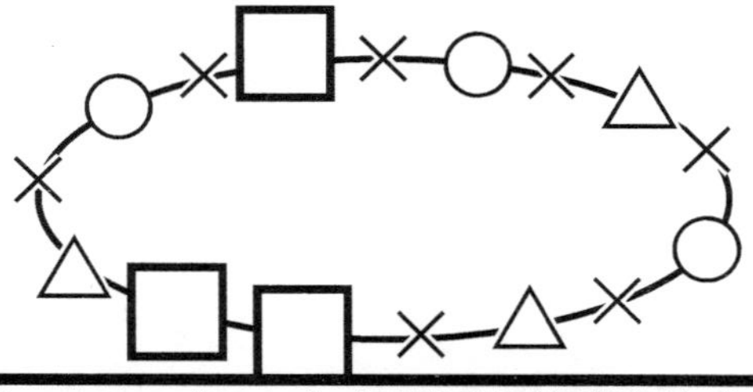

⑥
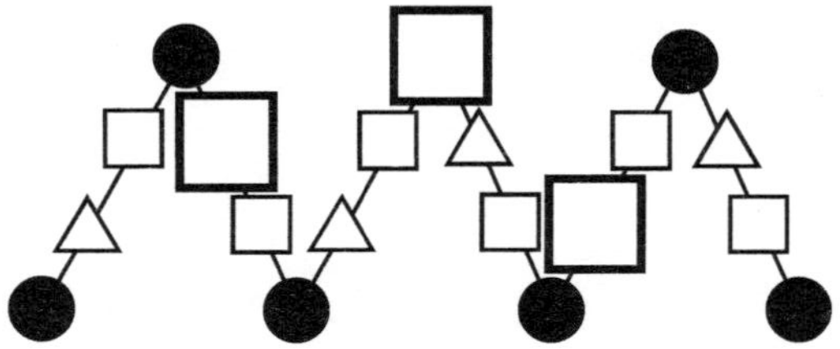

⑦
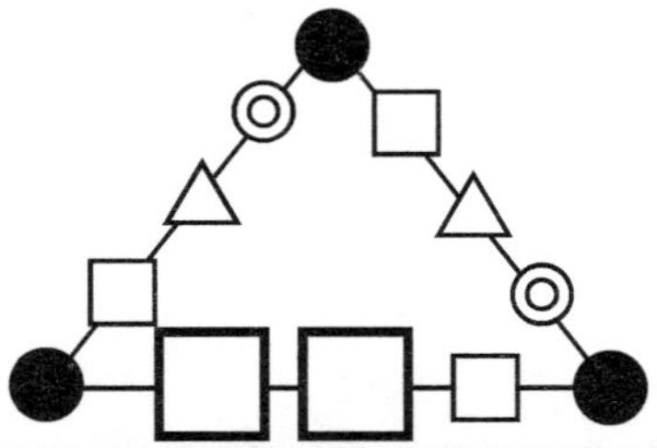

⑧
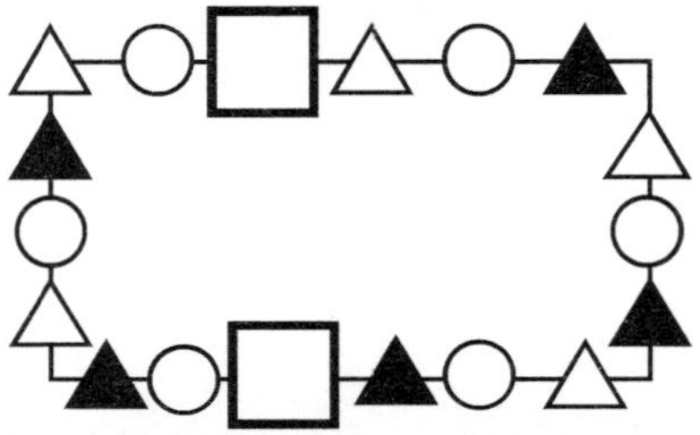

⑨
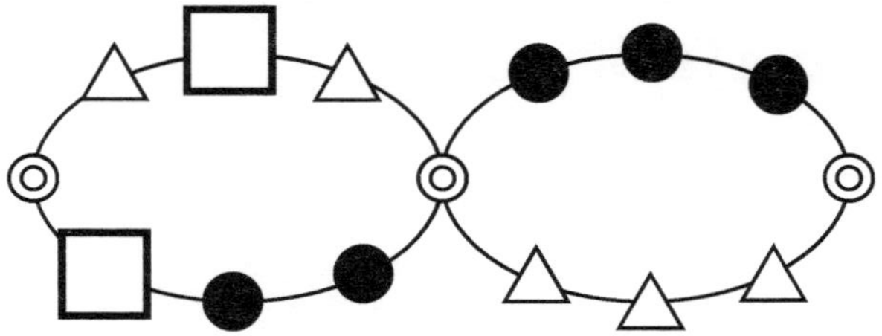

⑩
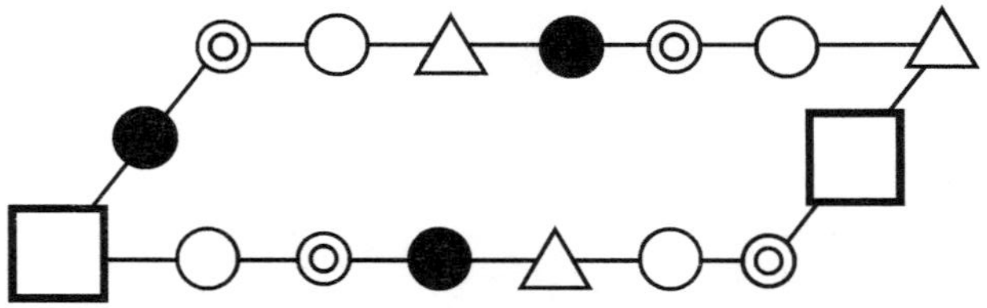

問題１９

①

×→△→【　】→【　】→△→●

②

【　】→▲→●→■→●→▲→●→【　】→●→▲

③

×→×→△→【　】→×→×→【　】→●→×→【　】

④

▲→△→×→×→▲→△→×→×→【　】→△→×→【　】→▲

⑤

▲→×→△→▲→【　】→【　】→▲→×→△→▲→【　】→【　】

⑥

○→×→△→▲→●→◆→○→×→【　】→▲→●→【　】

⑦

×→●→【　】

↓

△←●←×

⑧

【　】→▲→▲→▲

↑　↓

【　】→●→●→■→■　　●→【　】

⑨

▲←■←●←【　】

↙

×→【　】→■→▲→×→【　】

⑩

×←○←▲←【　】←○←▲←×←○

↙

▲→【　】→×→▲→○→【　】→▲→○→×

⑪

○→×→△→【　】→●→○→×→△→▲→●

↑　↘

●←▲←△←×←○　　●←▲←△←【　】←○

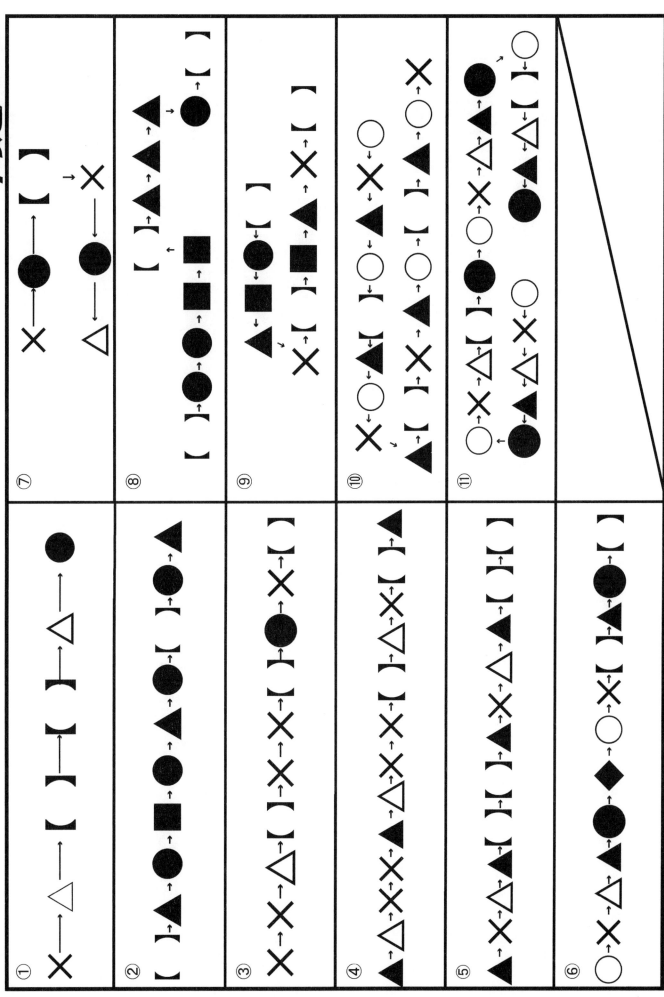

問題２０

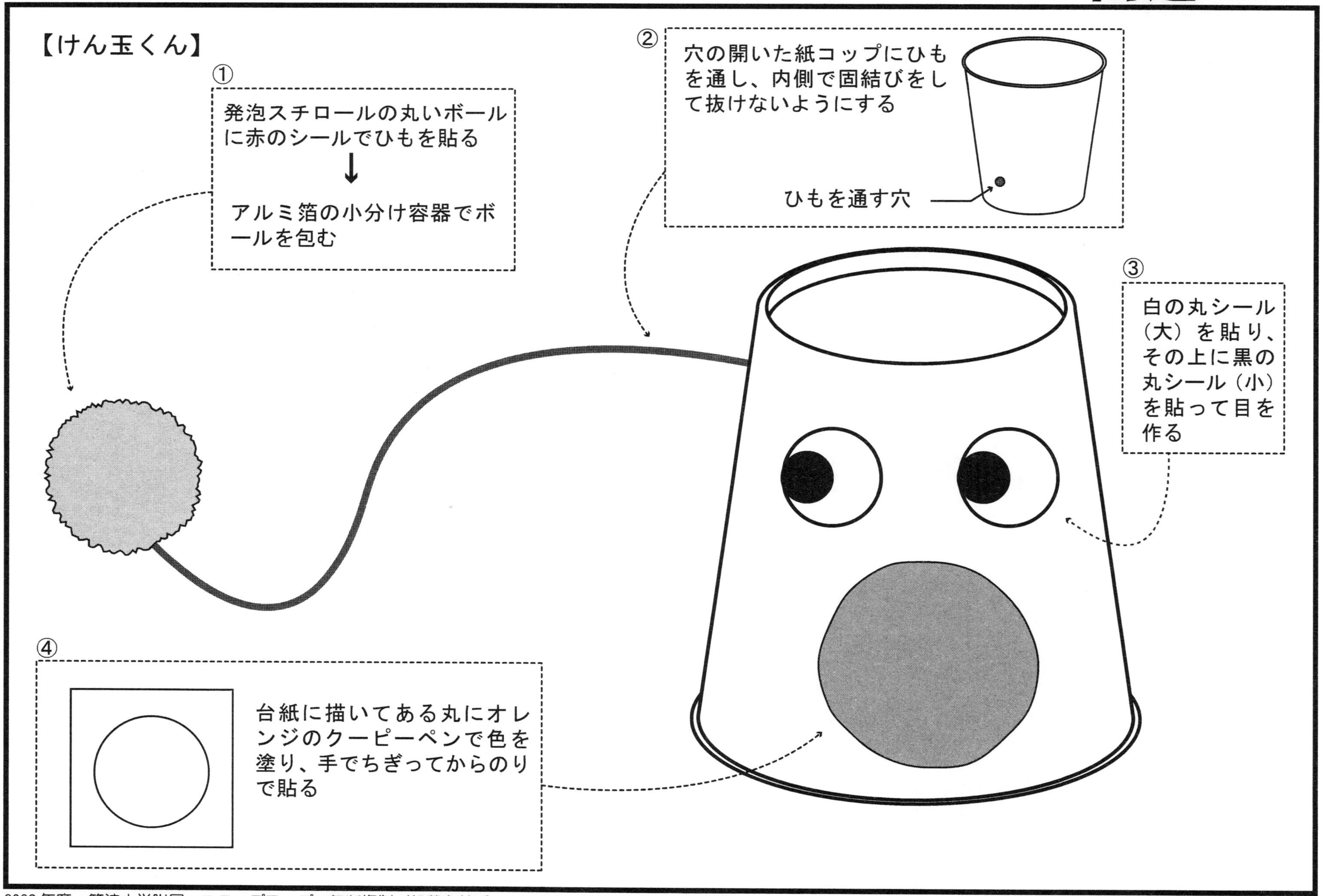
【けん玉くん】
①
発泡スチロールの丸いボールに赤のシールでひもを貼る
↓
アルミ箔の小分け容器でボールを包む
②
穴の開いた紙コップにひもを通し、内側で固結びをして抜けないようにする
ひもを通す穴
③
白の丸シール（大）を貼り、その上に黒の丸シール（小）を貼って目を作る
④
台紙に描いてある丸にオレンジのクーピーペンで色を塗り、手でちぎってからのりで貼る

問題21

①

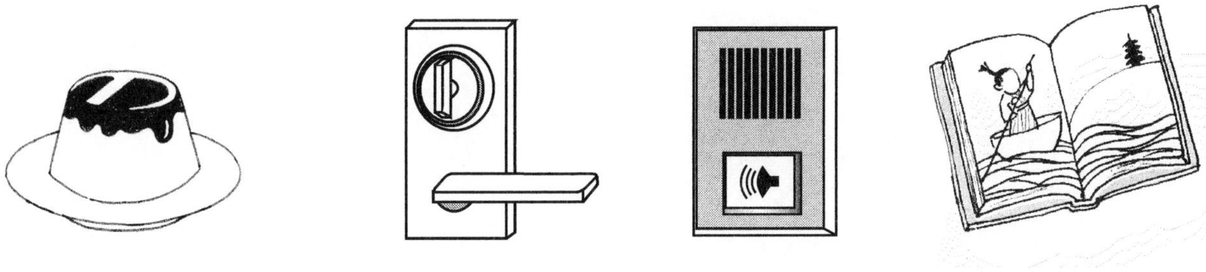

②

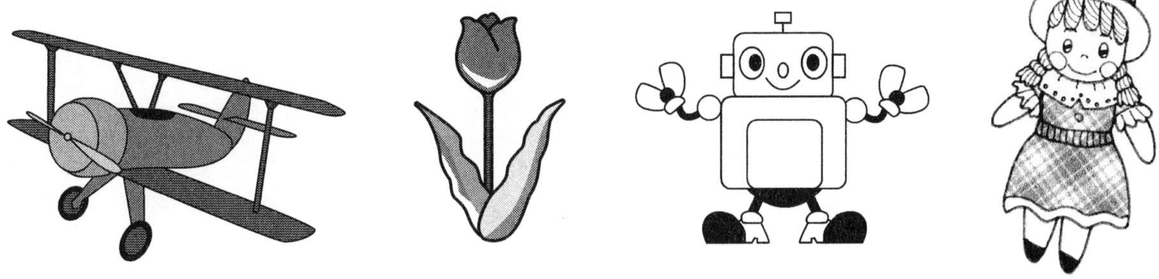

③

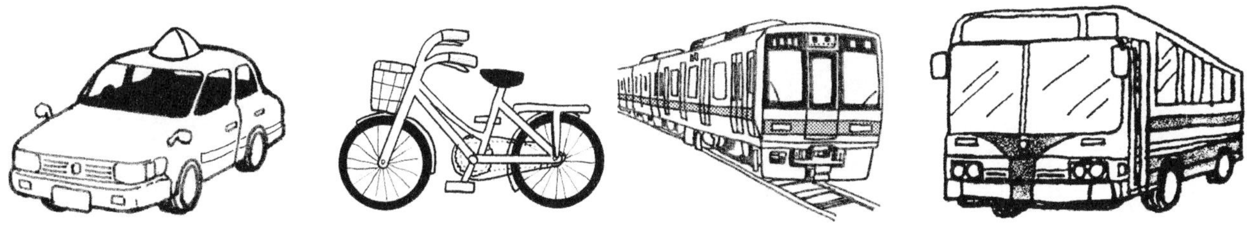

④

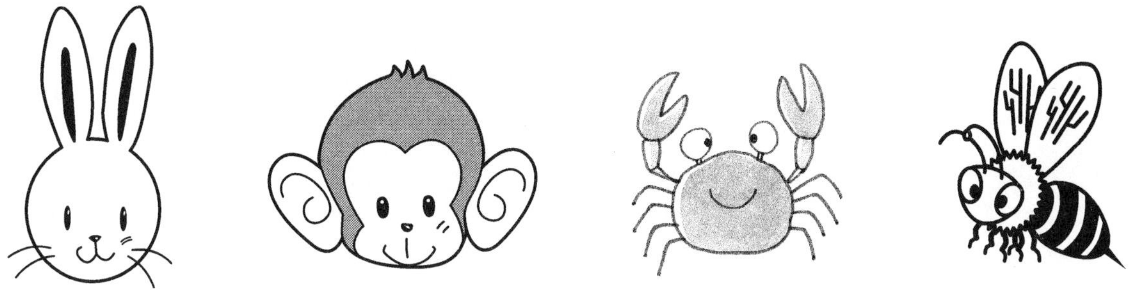

⑥

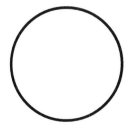

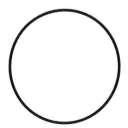

問題22

①

②

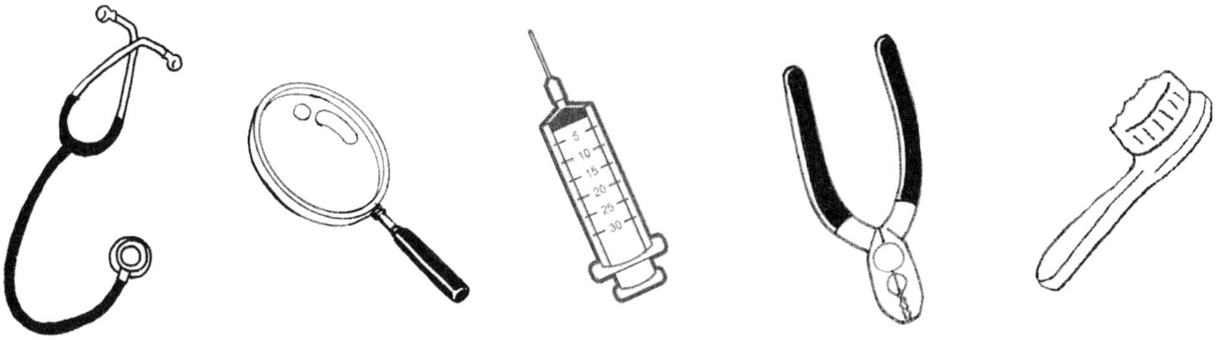

③

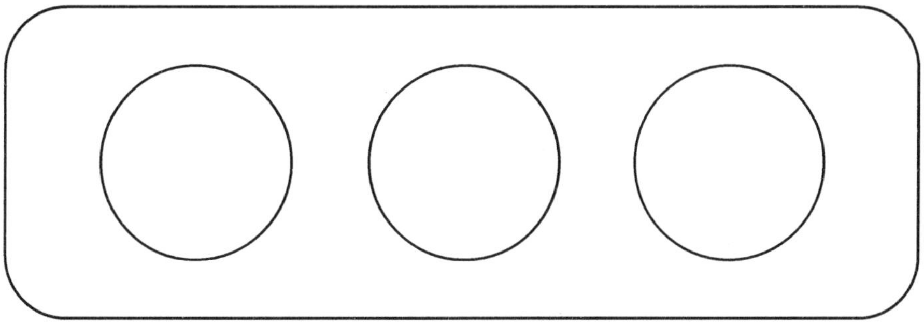

④

⑤

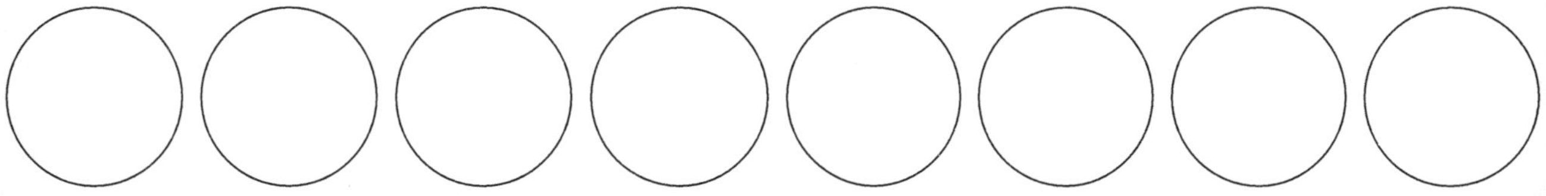

問題２３−１

①

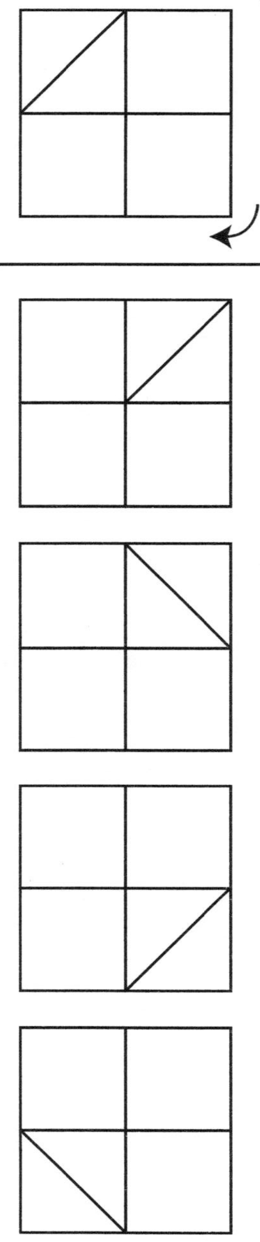

②

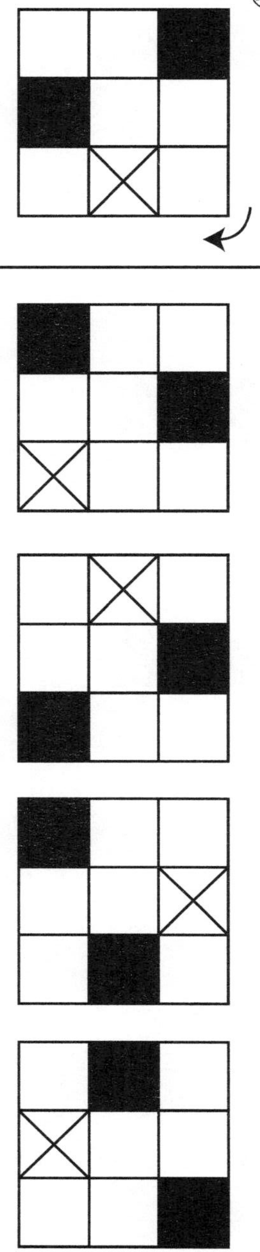

③

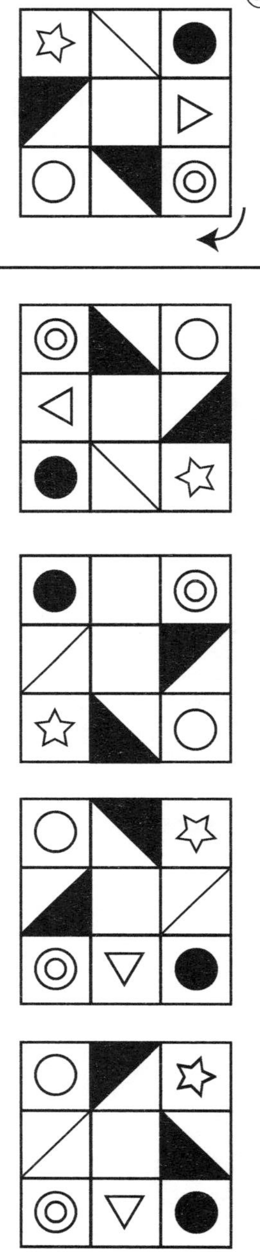

④

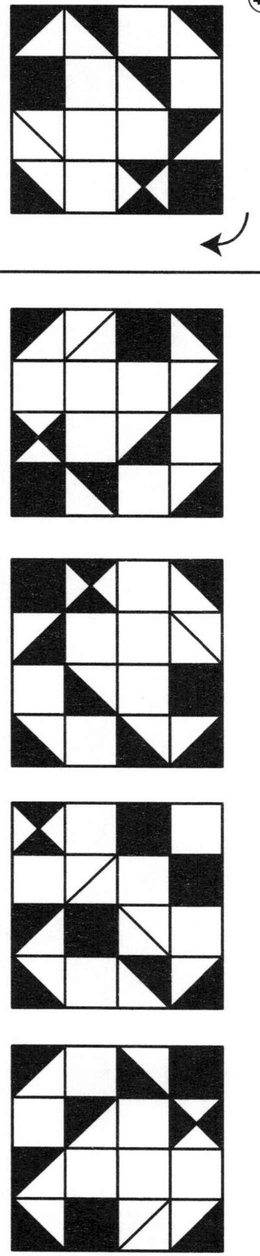

⑤

⑥

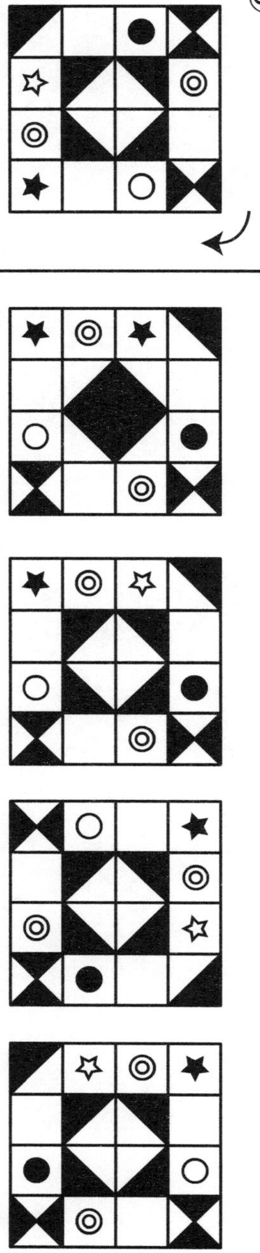

日本学習図書株式会社

2022 年度　筑波大学附属　ステップアップ　無断複製/転載を禁ずる

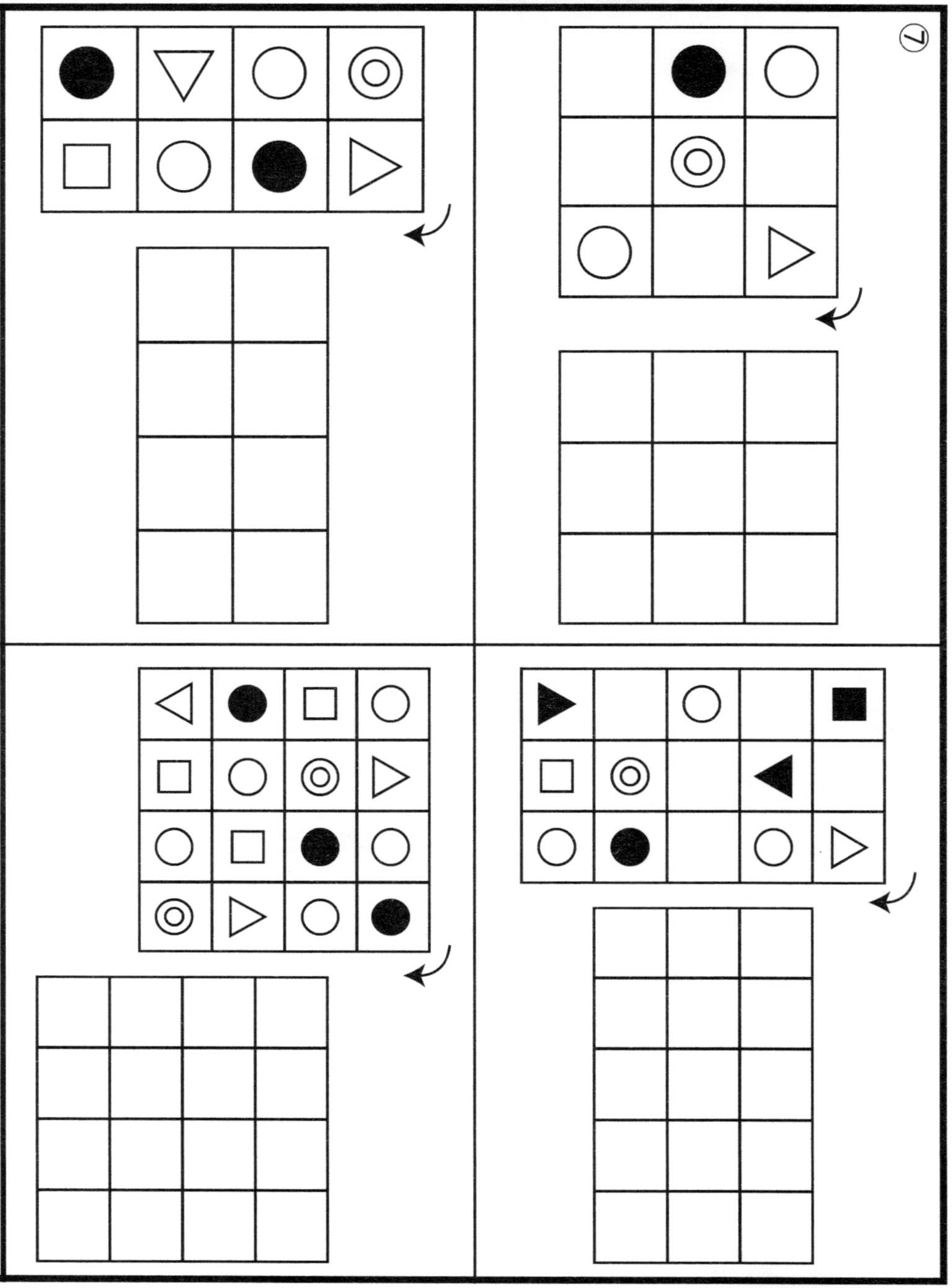

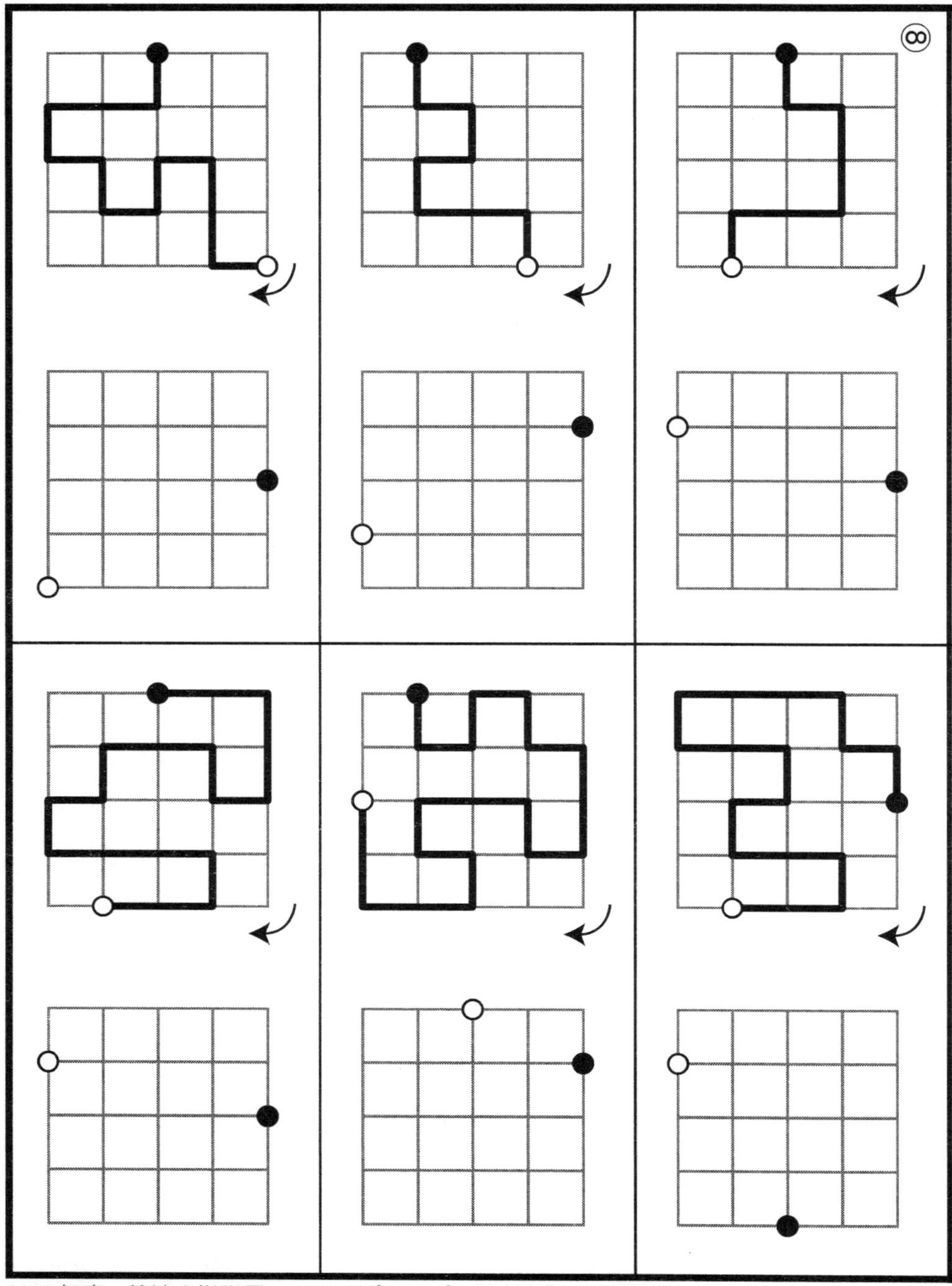

問題２４

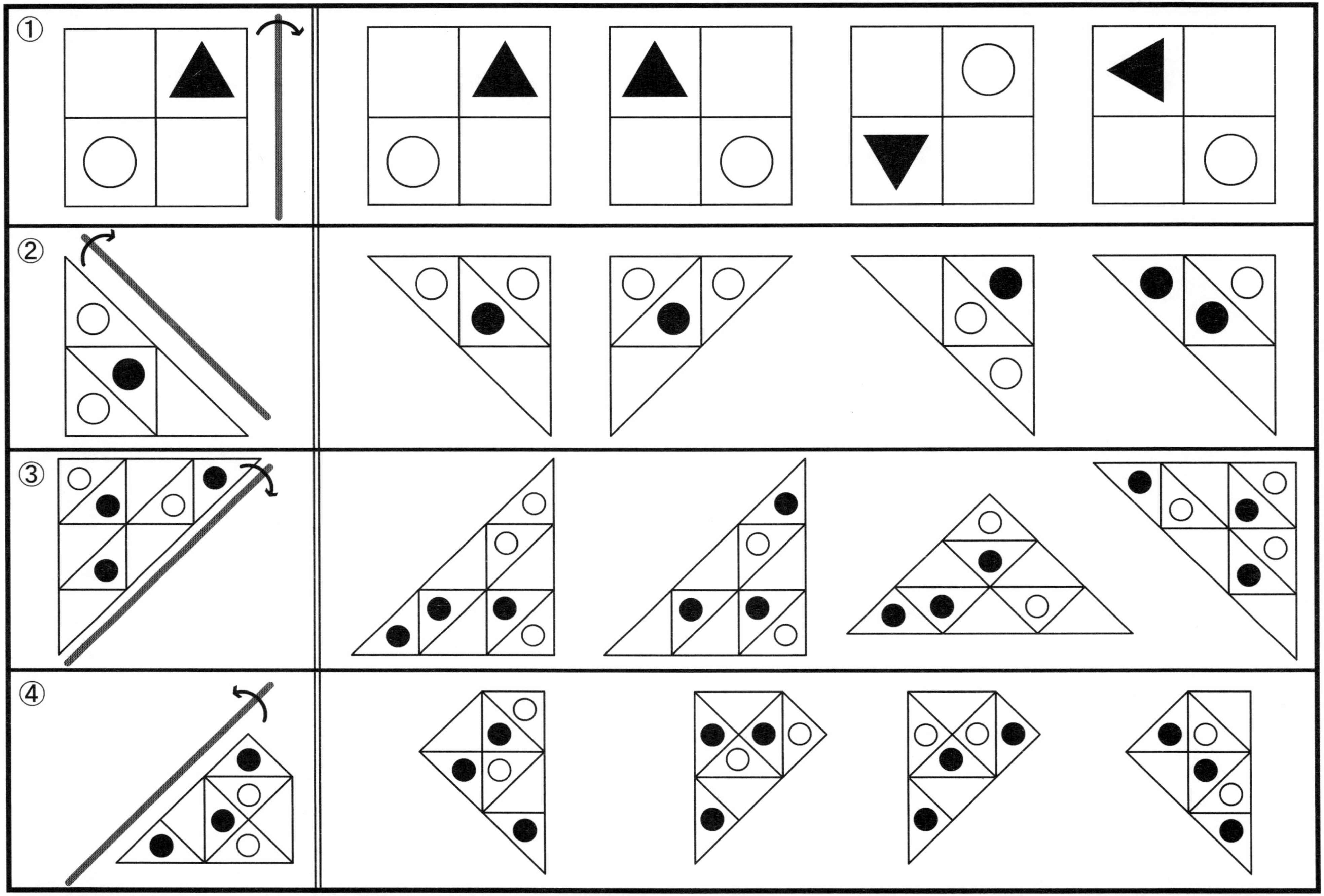

問題25－1

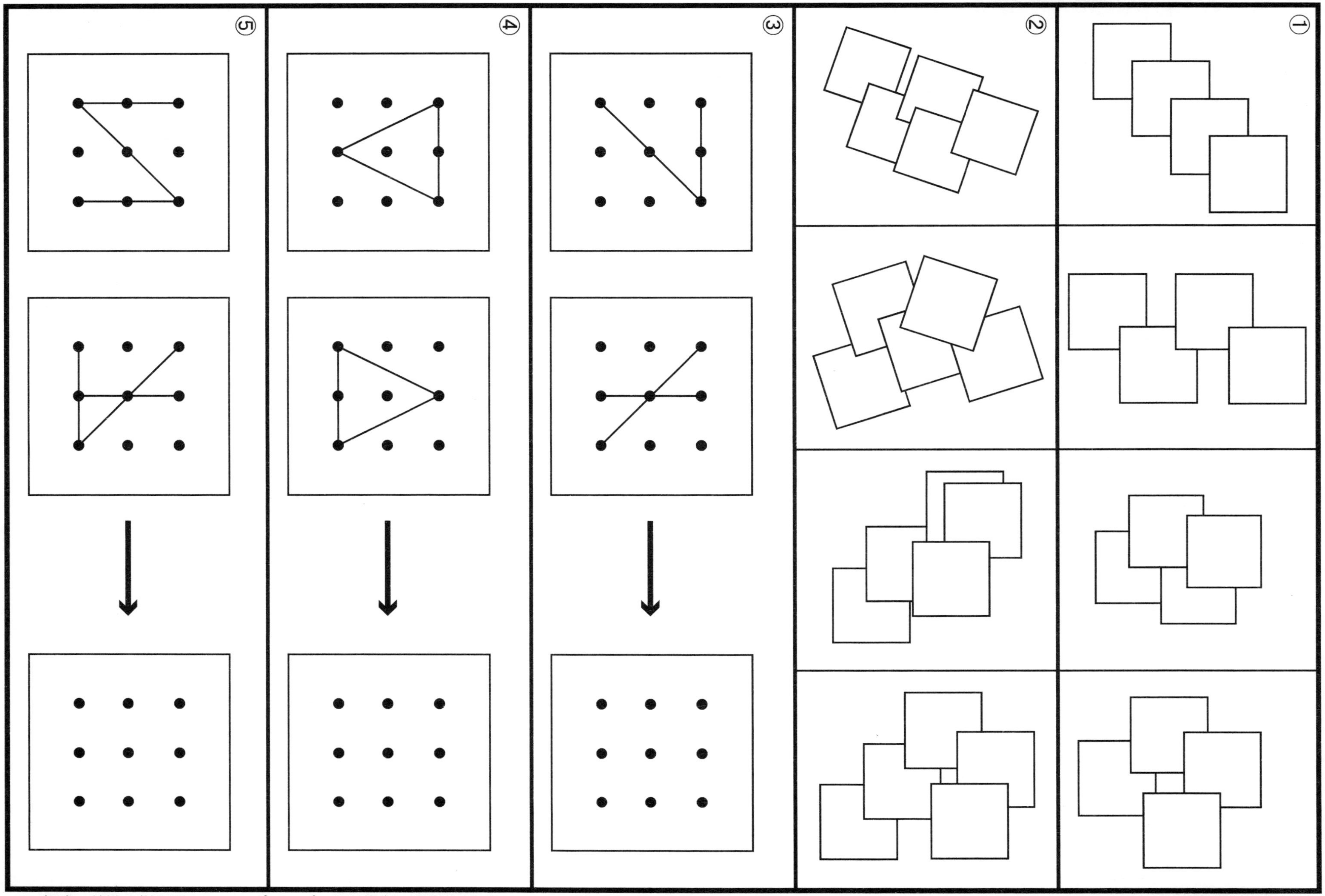

問題２５－２

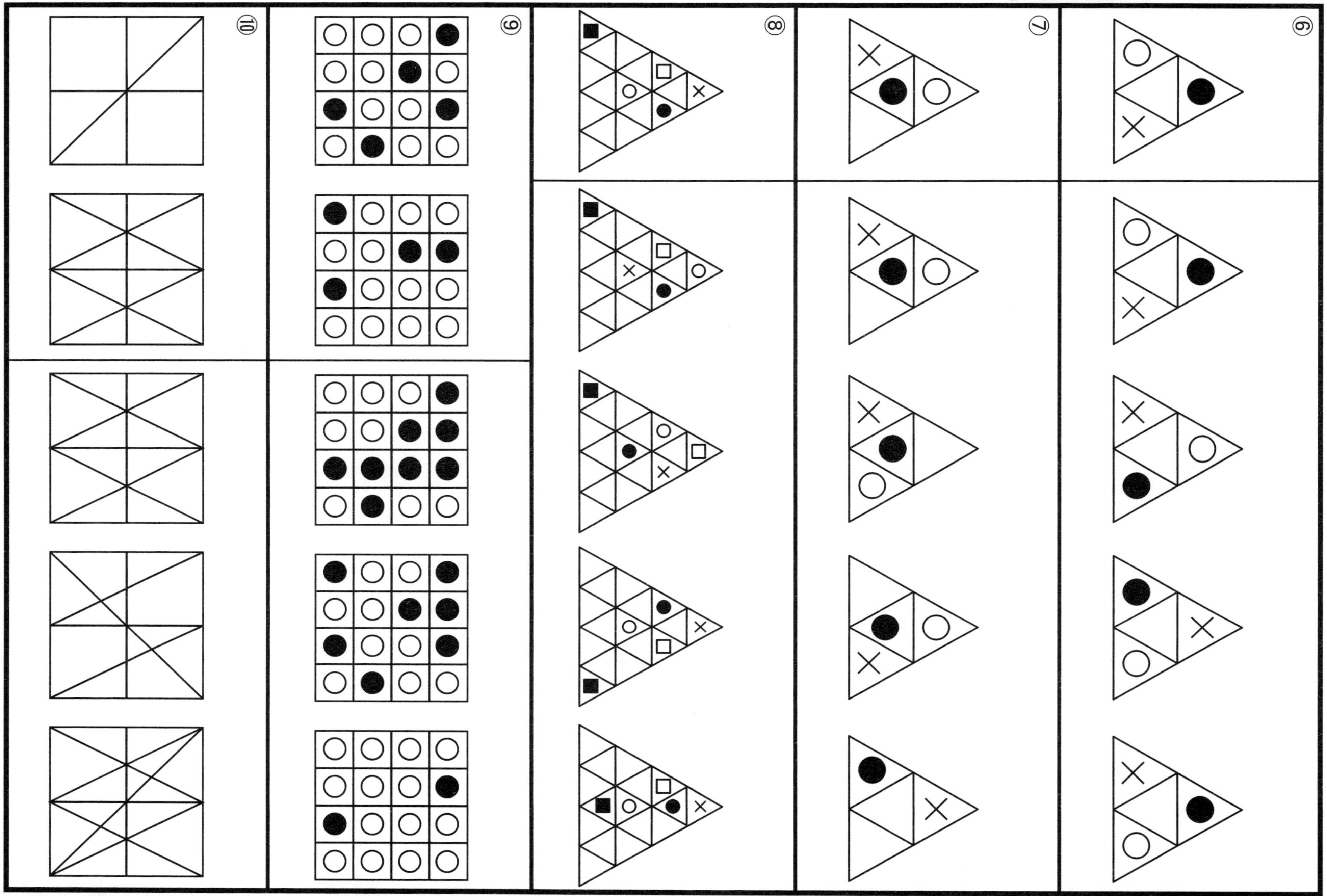

☆

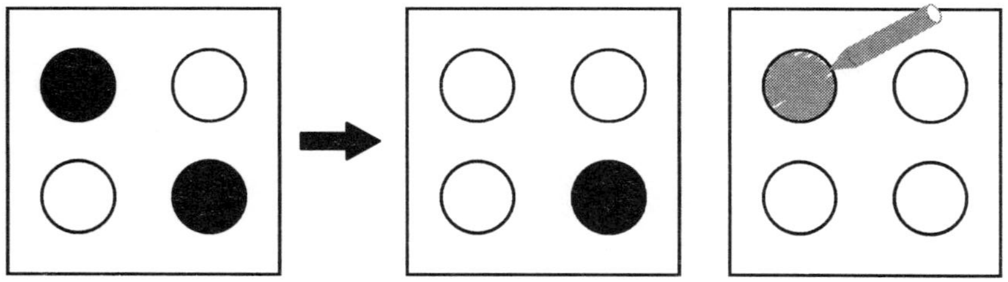

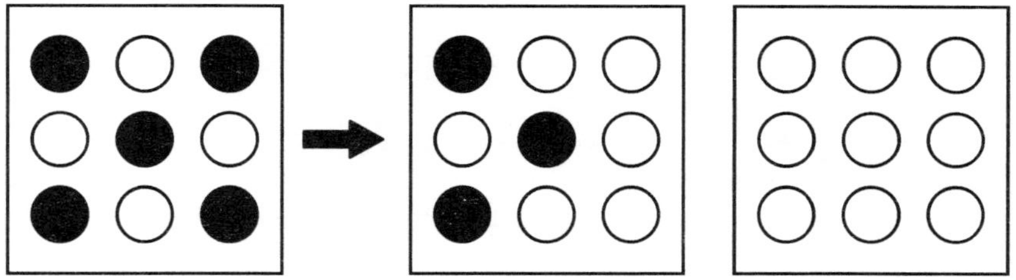

①

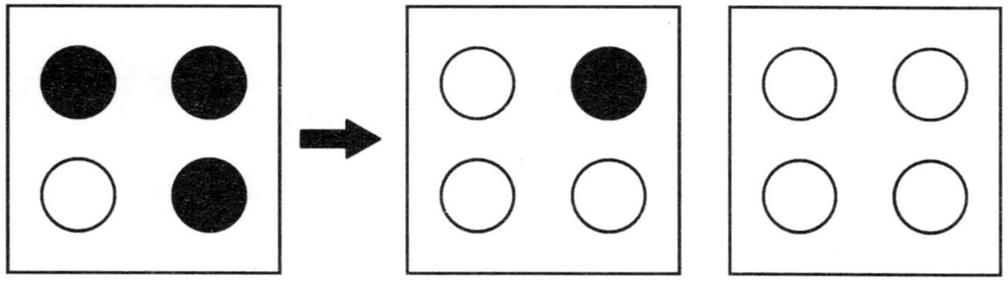

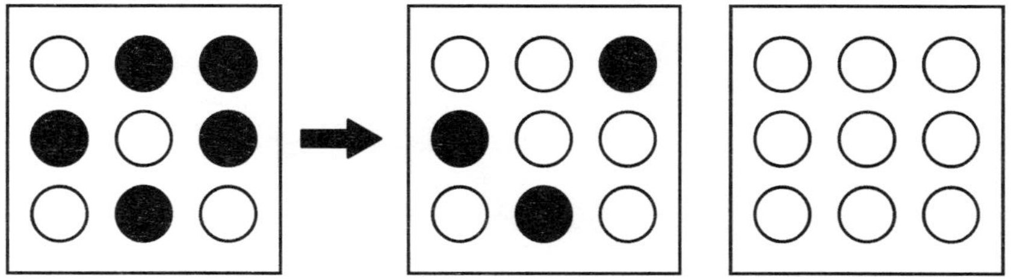

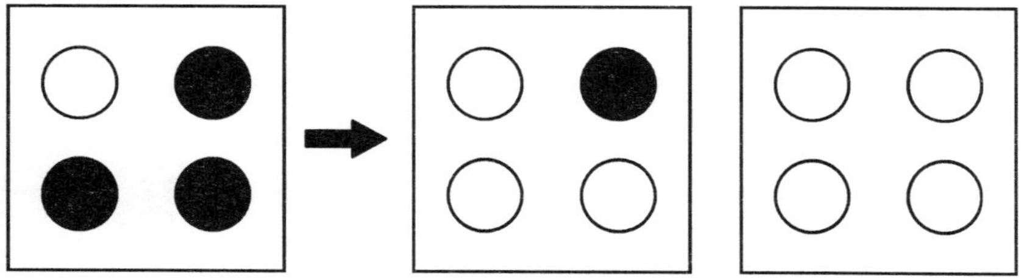

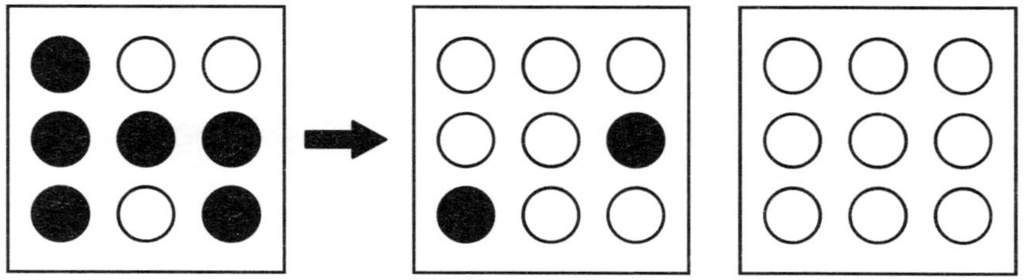

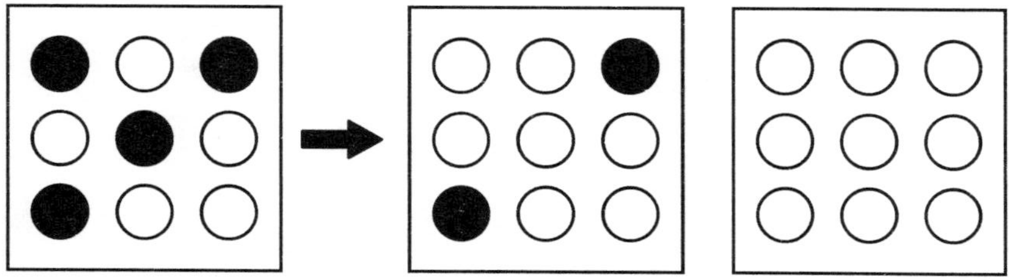

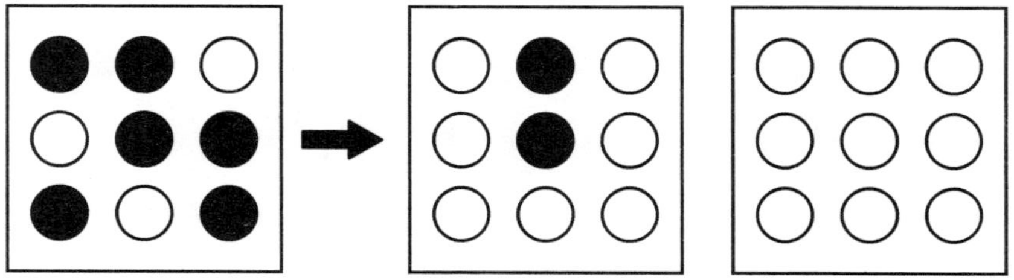

2022年度　筑波大学附属　ステップアップ　無断複製／転載を禁ずる　　日本学習図書株式会社

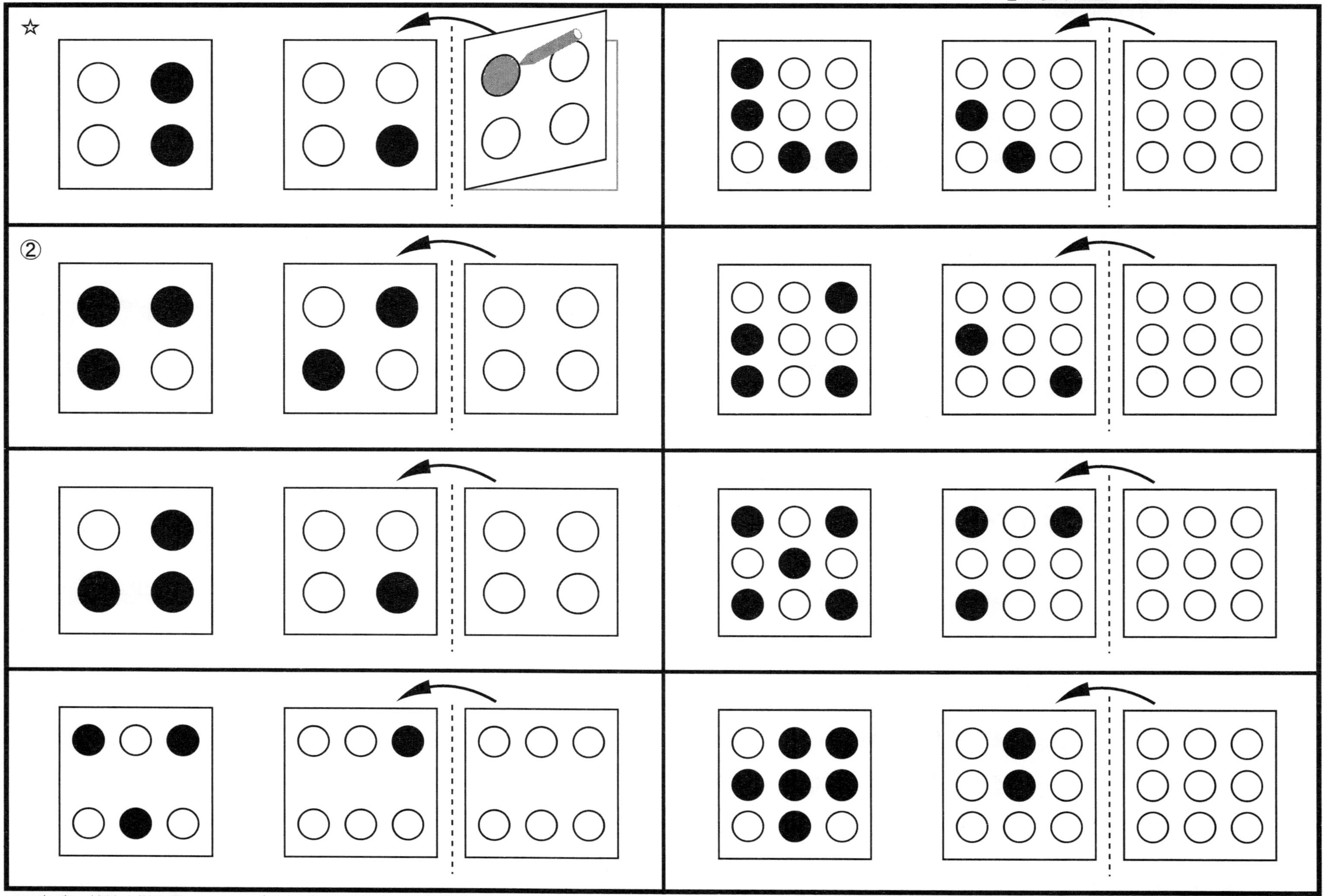

問題２７－１

①

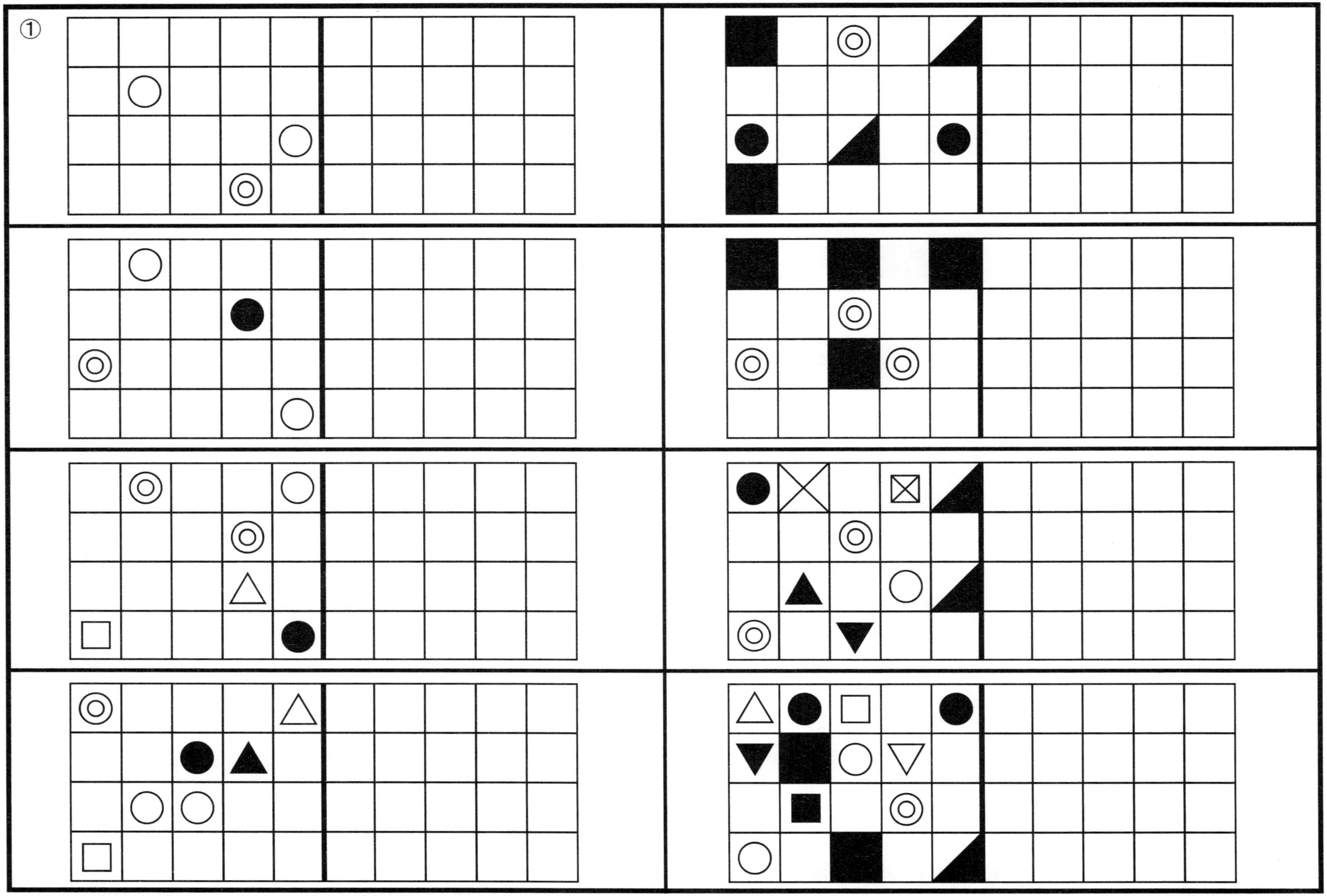

日本学習図書株式会社

2022 年度　筑波大学附属　ステップアップ　無断複製／転載を禁ずる

②

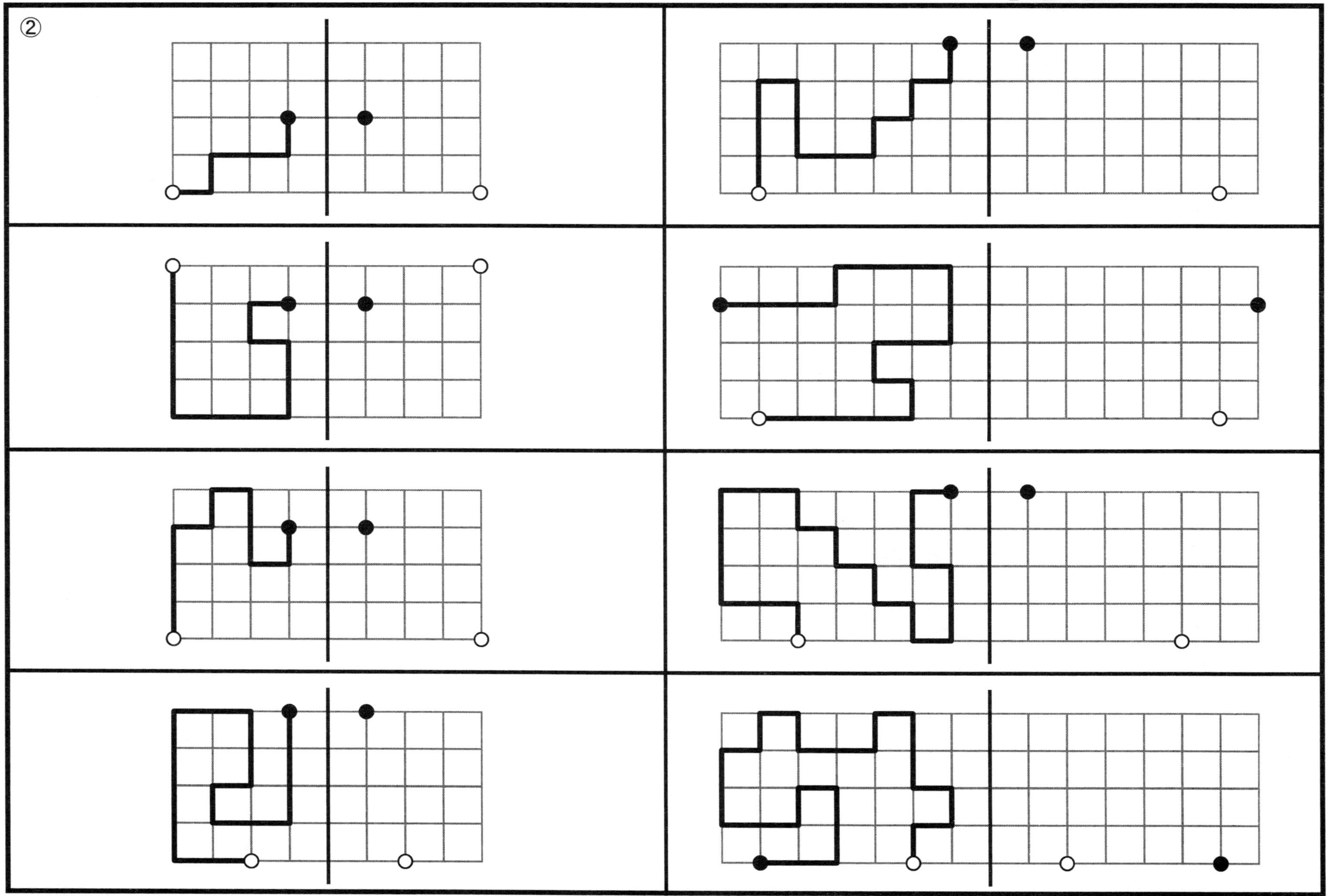

問題２８

見　本

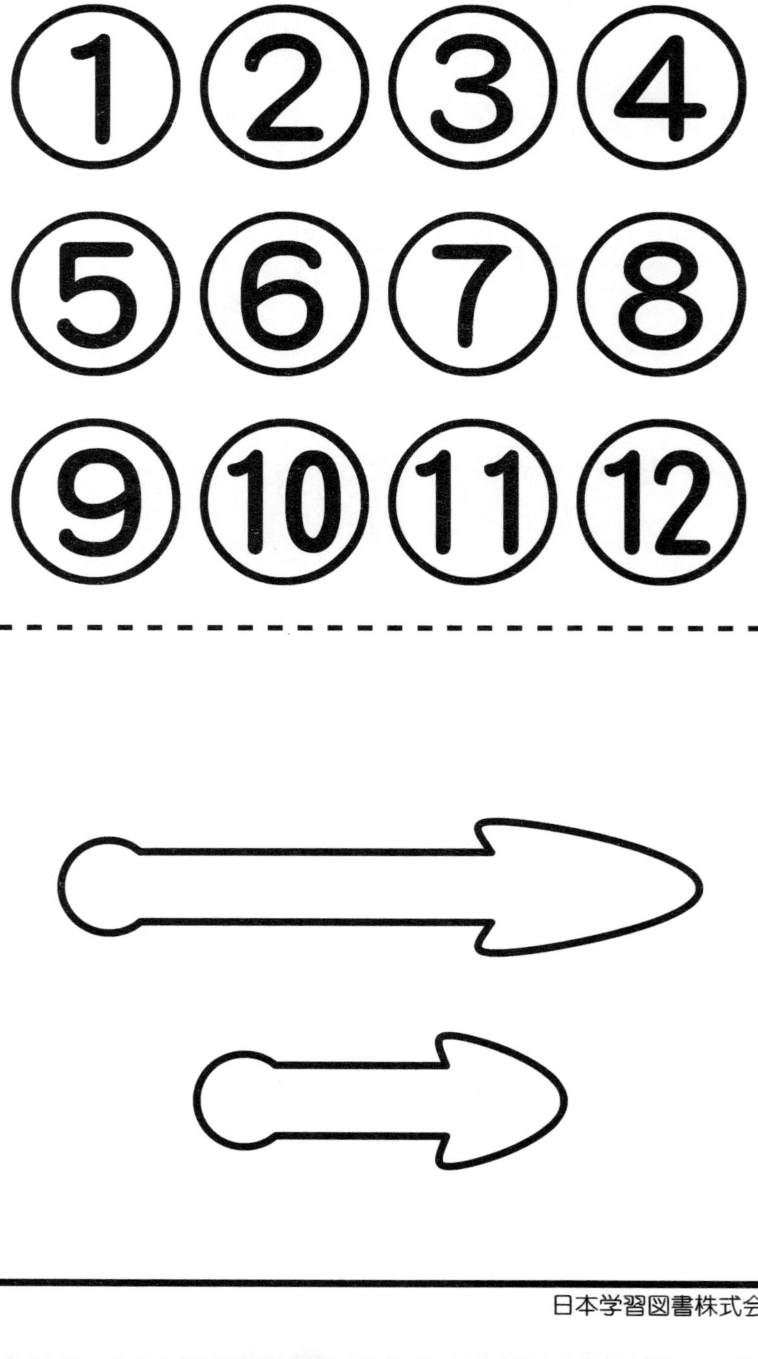

問題３０

①

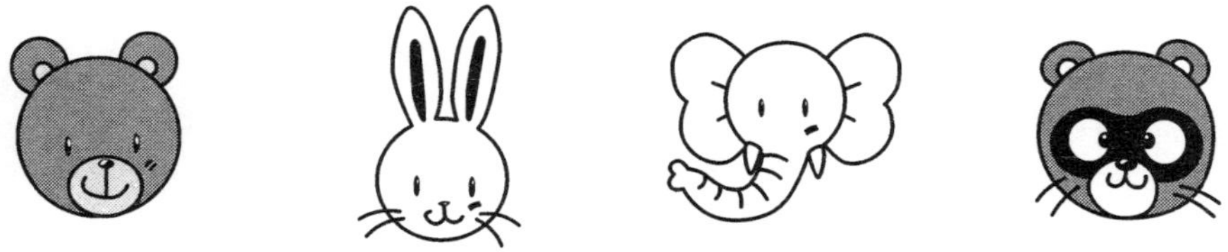

②

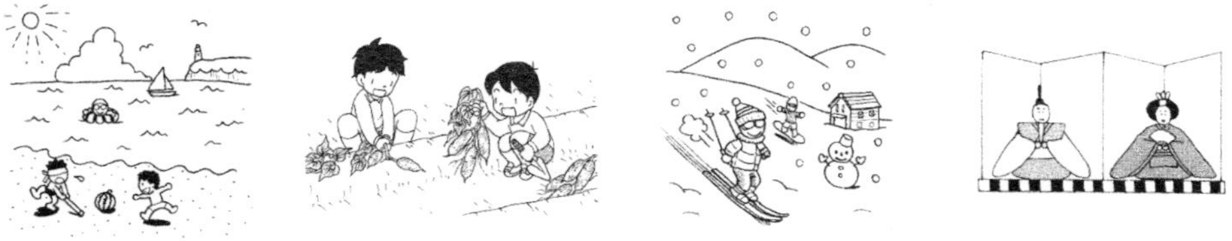

③

④

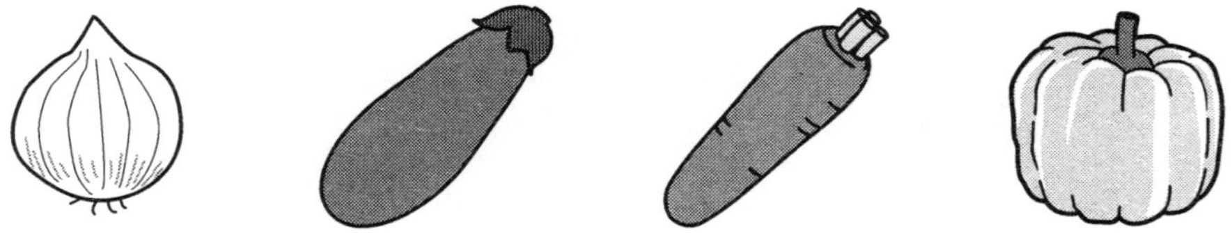

⑤

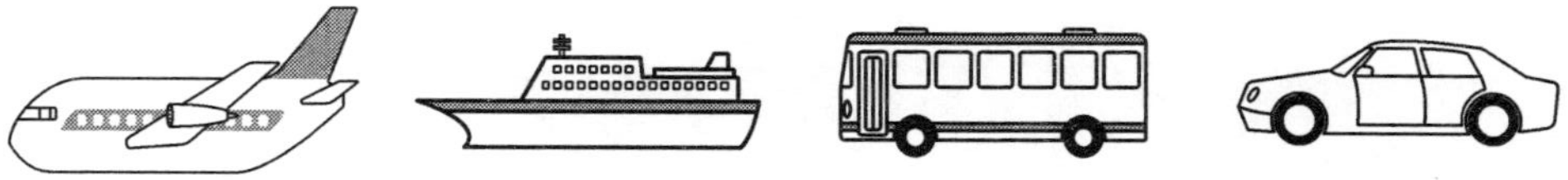

⑥

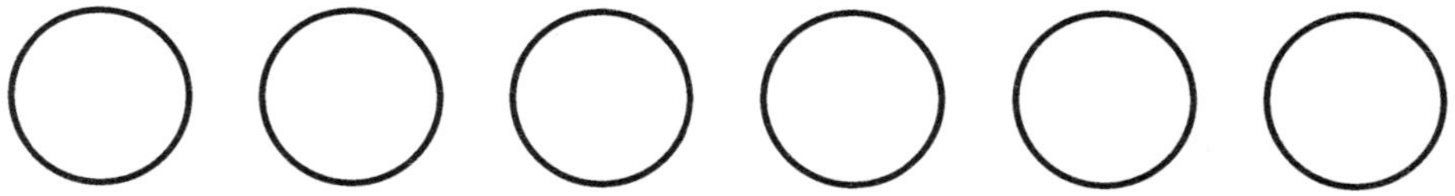

⑦

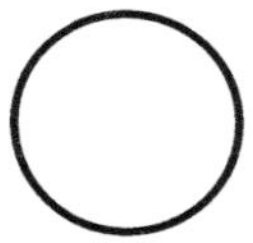

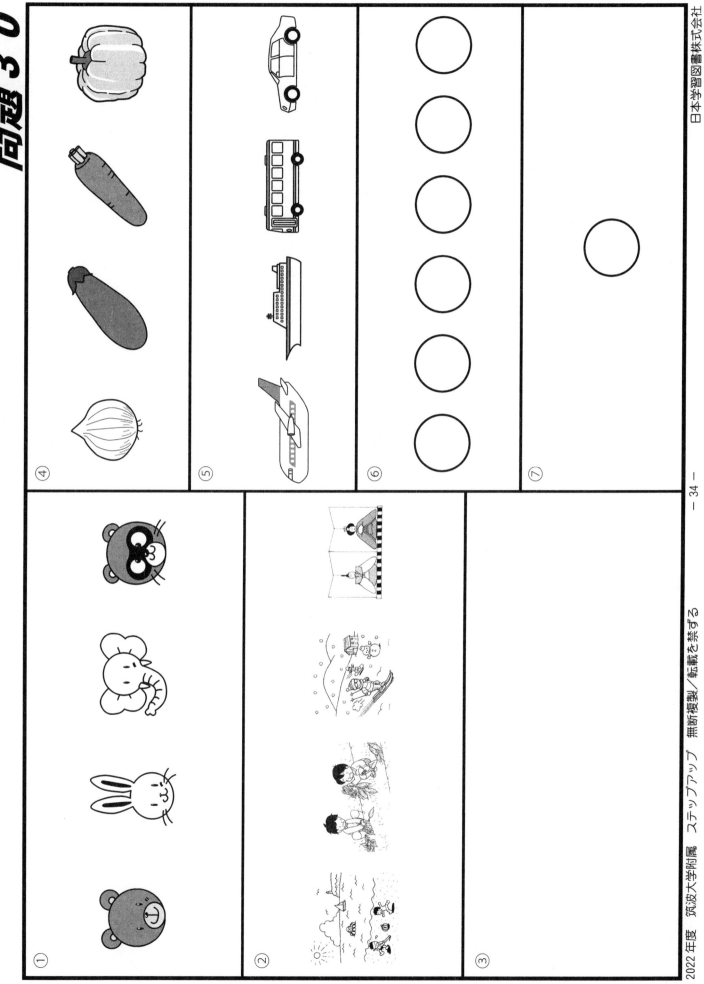

分野別 小学入試練習帳 ジュニアウォッチャー

1. 点・線図形	小学校入試で出題頻度の高い『点・線図形』の模写を、難易度の低いものから段階別に幅広く練習することができるように構成。
2. 座標	図形の位置模写という作業を、難易度の低いものから段階別に練習できるように構成。
3. パズル	様々なパズルの問題を難易度の低いものから段階別に練習できるように構成。
4. 同図形探し	小学校入試で出題頻度の高い、同図形選びの問題を繰り返し練習できるように構成。
5. 回転・展開	図形などを回転、または展開したとき、形がどのように変化するかを学習し、理解を深められるように構成。
6. 系列	数、図形などの様々な系列問題を、難易度の低いものから段階別に練習できるように構成。
7. 迷路	迷路の問題を繰り返し練習できるように構成。
8. 対称	対称に関する問題を４つのテーマに分類し、各テーマごとに問題を段階別に練習できるように構成。
9. 合成	図形の合成に関する問題を、難易度の低いものから段階別に練習できるように構成。
10. 四方からの観察	もの（立体）を様々な角度から見て、どのように見えるかを推理する問題を段階別に整理し、１つの形式で複数の問題を練習できるように構成。
11. いろいろな仲間	ものや動物、植物の共通点を見つけ、分類していく問題を中心に構成。
12. 日常生活	日常生活における様々な問題を６つのテーマに分類し、各テーマごとに一つの問題形式で複数の問題を練習できるように構成。
13. 時間の流れ	『時間』に着目し、様々なものごとは、時間が経過するとどのように変化するのかということを学習し、理解できるように構成。
14. 数える	様々なものを『数える』ことから、数の多少の判定やかけ算、わり算の基礎までを練習できるように構成。
15. 比較	比較に関する問題を５つのテーマ（数、高さ、長さ、量、重さ）に分類し、各テーマごとに問題を段階別に練習できるように構成。
16. 積み木	数える対象を積み木に限定した問題集。
17. 言葉の音遊び	言葉の音に関する問題を５つのテーマに分類し、各テーマごとに問題を段階別に練習できるように構成。
18. いろいろな言葉	表現力をより豊かにするいろいろな言葉として、擬態語や擬声語、同音異義語、反意語、数詞を取り上げた問題集。
19. お話の記憶	お話を聴いてその内容を記憶、理解し、設問に答える形式の問題集。
20. 見る記憶・聴く記憶	「見て憶える」「聴いて憶える」という『記憶』分野に特化した問題集。
21. お話作り	いくつかの絵を元にしてお話を作る練習をして、想像力を養うことができるように構成。
22. 想像画	描かれてある形や景色に好きな絵を描くことにより、想像力を養うことができるように構成。
23. 切る・貼る・塗る	小学校入試で出題頻度の高い、はさみやのりなどを用いた巧緻性の問題を繰り返し練習できるように構成。
24・絵画	小学校入試で出題頻度の高い、お絵かきやぬり絵などクレヨンやクーピーペンを用いた巧緻性の問題を繰り返し練習できるように構成。
25. 生活巧緻性	小学校入試で出題頻度の高い日常生活の様々な場面における巧緻性の問題集。
26. 文字・数字	ひらがなの清音、濁音、拗音、拗長音、促音と１～20までの数字に焦点を絞り、練習できるように構成。
27. 理科	小学校入試で出題頻度が高くなりつつある理科の問題を集めた問題集。
28. 運動	出題頻度の高い運動問題を種目別に分けて構成。
29. 行動観察	項目ごとに問題提起をし、「このような時はどうか、あるいはどう対処するのか」の観点から問いかける形式の問題集。
30. 生活習慣	学校から家庭に提起された問題と思って、一問一問絵を見ながら話し合い、考える形式の問題集。

31. 推理思考	数、量、言語、常識（含理科、一般）など、諸々のジャンルから問題を構成し、近年の小学校入試問題傾向に沿って構成。
32. ブラックボックス	箱や筒の中を通ると、どのようなお約束でどのように変化するかを推理・思考する問題集。
33. シーソー	重さの違うものをシーソーに乗せた時どちらに傾くのか、またどうすればシーソーは釣り合うのかを思考する基礎的な問題集。
34. 季節	様々な行事や植物などを季節別に分類できるように知識をつける問題集。
35. 重ね図形	小学校入試で頻繁に出題されている「図形を重ね合わせてできる形」についての問題を集めました。
36. 同数発見	様々な物を数え「同じ数」を発見し、数の多少の判断や数の認識の基礎を学べるように構成した問題集。
37. 選んで数える	数の学習の基本となる、いろいろなものの数を正しく数える学習を行う問題集。
38. たし算・ひき算1	数字を使わず、たし算とひき算の基礎を身につけるための問題集。
39. たし算・ひき算2	数字を使わず、たし算とひき算の基礎を身につけるための問題集。
40. 数を分ける	数を等しく分ける問題です。等しく分けたときに余りが出るものもあります。
41. 数の構成	ある数がどのような数で構成されているか学んでいきます。
42. 一対多の対応	一対一の対応から、一対多の対応まで、かけ算の考え方の基礎学習を行います。
43. 数のやりとり	あげたり、もらったり、数の変化をしっかりと学びます。
44. 見えない数	指定された条件から数を導き出します。
45. 図形分割	図形の分割に関する問題集。パズルや合成の分野にも通じる様々な問題を集めました。
46. 回転図形	「回転図形」に関する問題集。やさしい問題から始め、いくつかの代表的なパターンから、段階を踏んで学習できるよう編集されています。
47. 座標の移動	「マス目の指示通りに移動する問題」と「指示された数だけ移動する問題」を収録。
48. 鏡図形	鏡で左右反転させた時の見え方を考えます。平面図形から立体図形、文字、絵まで。
49. しりとり	すべての学習の基礎となる「言葉」を学ぶこと、特に「語彙」を増やすことに重点をおき、さまざまなタイプの「しりとり」問題を集めました。
50. 観覧車	観覧車やメリーゴーラウンドなどを舞台にした「回転系列」の問題集。「推理思考」分野の問題ですが、要素として「図形」や「数量」も含みます。
51. 運筆①	鉛筆の持ち方を学び、点線なぞり、お手本を見ながらの模写で、線を引く練習をします。
52. 運筆②	運筆①からさらに発展し、「欠所補完」や「迷路」などを楽しみながら、より複雑な鉛筆運びを習得することを目指します。
53. 四方からの観察 積み木編	積み木を使用した「四方からの観察」に関する問題を練習できるように構成。
54. 図形の構成	見本の図形がどのような部分によって形づくられているかを考えます。
55. 理科②	理科的知識に関する問題を集中して練習する「常識」分野の問題集。
56. マナーとルール	道路や駅、公共の場でのマナー、安全や衛生に関する常識を学べるように構成。
57. 置き換え	さまざまな具体的・抽象的事象を記号で表す「置き換え」の問題を扱います。
58. 比較②	長さ・高さ・体積・数などを数学的な知識を使わず、論理的に推測する「比較」の問題を練習できるように構成。
59. 欠所補完	線と線のつながり、欠けた絵に当てはまるものなどを求める「欠所補完」に取り組める問題集です。
60. 言葉の音（おん）	しりとり、決まった順番の音をつなげるなど、「言葉の音」に関する問題に取り組める練習問題集です。

『読み聞かせ』×『質問』＝『聞く力』

お話の記憶の練習に最適

1話5分の 読み聞かせお話集①②

「アラビアン・ナイト」「アンデルセン童話」「イソップ寓話」「グリム童話」、日本や各国の民話、昔話、偉人伝の中から、教育的な物語や、過去に小学校入試でも出題された有名なお話を中心に掲載。お話ごとに、内容に関連したお子さまへの質問も掲載しています。「読み聞かせ」を通して、お子さまの『聞く力』を伸ばすことを目指します。　①巻・②巻　各48話

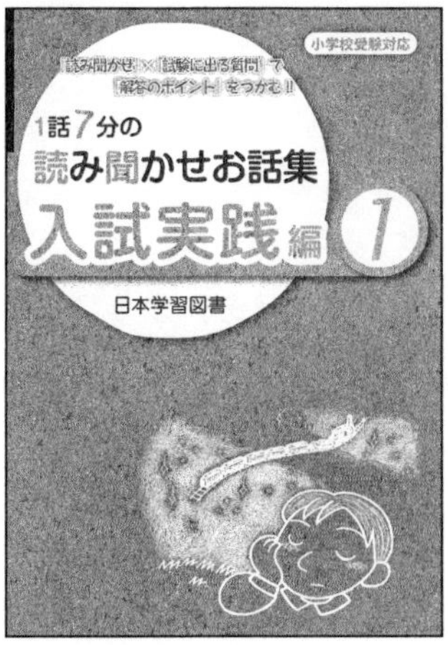

1話7分の読み聞かせお話集 入試実践編①

国立・私立小学校受験対応

最長1,700文字の長文のお話を掲載。有名でない＝「聞いたことのない」お話を聞くことで、『集中力』のアップを目指します。設問も、実際の試験を意識した設問としています。ペーパーテスト実施校の多くが「お話の記憶」の問題を出題します。毎日の「読み聞かせ」と「試験に出る質問」で、「解答のポイント」をつかんで臨みましょう！　50話収録

ニチガクの この5冊で受験準備も万全！

小学校受験入門 願書の書き方から面接まで リニューアル版

主要私立・国立小学校の願書・面接内容を中心に、学校選びや入試の分野傾向、服装コーディネート、持ち物リストなども網羅し、受験準備全体をサポートします。

小学校受験で 知っておくべき 125のこと

小学校受験の基本から怪しい「ウワサ」まで、保護者の方々からの125の質問にていねいに解答。目からウロコのお受験本。

新　小学校受験の 入試面接Q＆A リニューアル版

過去十数年に遡り、面接での質問内容を網羅。小学校別、父親・母親・志願者別、さらに学校のこと・志望動機・お子さまについてなど分野ごとに模範解答例やアドバイスを掲載。

新　願書・アンケート 文例集500 リニューアル版

有名私立小、難関国立小の願書やアンケートに記入するための適切な文例を、質問の項目別に収録。合格を掴むためのヒントが満載！願書を書く前に、ぜひ一度お読みください。

小学校受験に関する 保護者の悩みQ＆A

保護者の方約1,000人に、学習・生活・躾に関する悩みや問題を取材。その中から厳選した200例以上の悩みに、「ふだんの生活」と「入試直前」のアドバイス2本立てで悩みを解決。

家庭学習を トータルサポート！ ニチガクのオリジナル 効果的 学習法

1 まずは アドバイスページを読む！

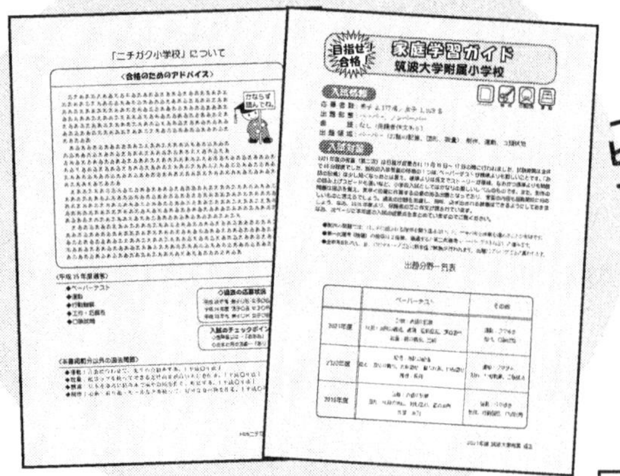

「ニチガク小学校」について
〈合格のためのアドバイス〉
目指せ合格！
家庭学習ガイド
筑波大学附属小学校

ピンク色です

対策や試験ポイントがぎっしりつまった「家庭学習ガイド」。分野アイコンで、試験の傾向をおさえよう！

2 問題を全て読み、出題傾向を把握する

3 「学習のポイント」で学校側の観点や問題の解説を熟読

4 初めて過去問題にチャレンジ！

5 プラスα 対策問題集や類題で力を付ける

過去問のこだわり

最新問題は問題ページ、イラストページ、解答・解説ページが独立しており、お子さまがにすぐに取り掛かっていただける作りになっています。
ニチガクの学校別問題集ならではの、学習法を含めたアドバイスを利用して効率のよい家庭学習を進めてください。

各問題のジャンル

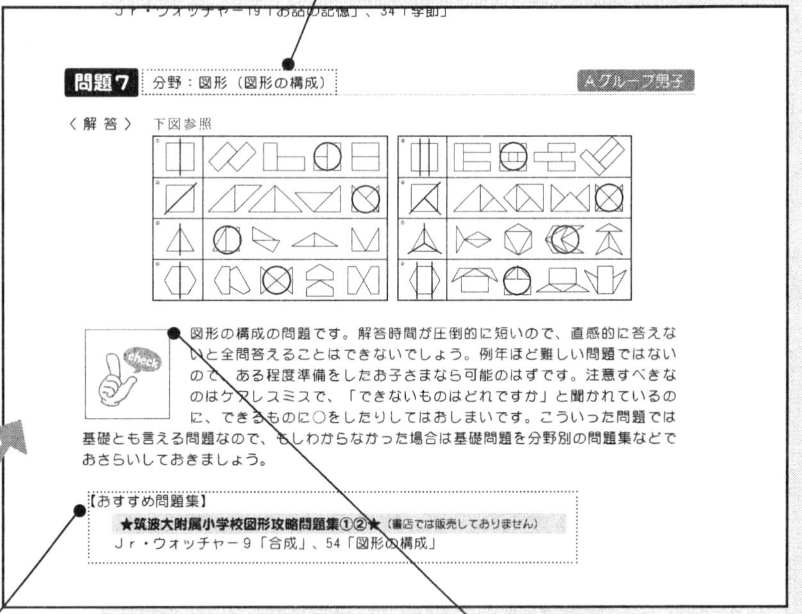

問題７ 分野：図形（図形の構成）
Ａグループ男子
〈解答〉 下図参照
図形の構成の問題です。解答時間が圧倒的に短いので、直感的に答えないと全問答えることはできないでしょう。例年ほど難しい問題ではないので、ある程度準備をしたお子さまなら可能のはずです。注意すべきなのはケアレスミスで、「できないものはどれですか」と聞かれているのに、できるものに○をしたりしてはおしまいです。こういった問題では基礎とも言える問題なので、もしわからなかった場合は基礎問題を分野別の問題集などでおさらいしておきましょう。
【おすすめ問題集】
★筑波大附属小学校図形攻略問題集①②★（書店では販売しておりません）
Ｊｒ・ウォッチャー９「合成」、54「図形の構成」

学習のポイント

各問題の解説や学校の観点、指導のポイントなどを教えます。
今日から保護者の方が家庭学習の先生に！

おすすめ対策問題集

分野ごとに対策問題集をご紹介。苦手分野の克服に最適です！
＊専用注文書付き。

2022年度版　筑波大学附属小学校
ステップアップ問題集

発行日　2021年11月10日
発行所　〒162-0821　東京都新宿区津久戸町 3-11
TH1ビル飯田橋 9F
日本学習図書株式会社
電　話　03-5261-8951 ㈹

ISBN978-4-7761-5365-8

C6037 ¥2000E

9784776153658

定価 2,200 円
(本体 2,000 円 + 税 10%)

1926037020004

詳細は http://www.nichigaku.jp 日本学習図書 検索